华章 IT

HZBOOKS | Information Technology

华章程序员书库

Learning OpenCV 3 Computer
Vision with Python

Second Edition

OpenCV 3计算机视觉

Python语言实现

（原书第2版）

[爱尔兰] 乔·米尼奇诺（Joe Minichino）　　著
[加] 约瑟夫·豪斯（Joseph Howse）

刘波　苗贝贝　史斌　译

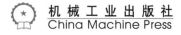

机械工业出版社
China Machine Press

图书在版编目（CIP）数据

OpenCV 3 计算机视觉：Python 语言实现（原书第 2 版）/（爱尔兰）乔·米尼奇诺（Joe Minichino）等著；刘波，苗贝贝，史斌译 . —北京：机械工业出版社，2016.6（2016.11 重印）

（华章程序员书库）

书名原文：Learning OpenCV 3 Computer Vision with Python，Second Edition

ISBN 978-7-111-53975-9

I. O⋯ II.① 乔⋯ ② 刘⋯ ③ 苗⋯ ④ 史⋯ III. 图像处理软件 – 程序设计 IV. TP391.41

中国版本图书馆 CIP 数据核字（2016）第 121598 号

本书版权登记号：图字：01-2016-1887

OpenCV 3 计算机视觉：Python 语言实现（原书第 2 版）

出版发行：机械工业出版社（北京市西城区百万庄大街 22 号 邮政编码：100037）

责任编辑：陈佳媛　　　　　　　　　　　责任校对：殷　虹

印　　刷：北京市荣盛彩色印刷有限公司　版　　次：2016 年 11 月第 1 版第 2 次印刷

开　　本：186mm×240mm　1/16　　　　印　　张：12.5

书　　号：ISBN 978-7-111-53975-9　　　定　　价：49.00 元

凡购本书，如有缺页、倒页、脱页，由本社发行部调换

客服热线：（010）88379426　88361066　　投稿热线：（010）88379604

购书热线：（010）68326294　88379649　68995259　　读者信箱：hzit@hzbook.com

版权所有·侵权必究
封底无防伪标均为盗版

本书法律顾问：北京大成律师事务所　韩光 / 邹晓东

　　计算机视觉是一门用计算机模拟生物视觉的学科，更具体地讲，就是让计算机代替人眼实现对目标的识别、分类、跟踪和场景理解。计算机视觉是人工智能的重要分支，也是一门具有很强综合性的学科，涉及计算机科学与工程、信号处理、光学、应用数学、统计学、神经生理学和认知科学等学科。

　　OpenCV 是开源、跨平台的计算机视觉库，由英特尔公司发起并参与开发，在商业和研究领域中可以免费使用。本书介绍了如何通过 Python 来开发基于 OpenCV 3.0 的应用。作为当前非常流行的动态语言之一，Python 不仅使用非常简单，而且功能强大。通过 Python 来学习 OpenCV 框架，可让读者快速理解计算机视觉的基本概念以及重要算法。

　　本书分 9 章来介绍计算机视觉的重要概念，所有的概念都融入了一些很有趣的项目。本书首先详细介绍了多个平台下基于 Python 的 OpenCV 安装，继而介绍了计算机视觉应用的基本操作，包括图像文件的读取与显示，图像处理的基本操作（比如边缘检测等），深度估计与分割，人脸检测与识别，图像的检索，目标的检测与识别，目标跟踪，神经网络的手写体识别。可以这样说，本书是一本不可多得的采用 OpenCV 实践计算机视觉应用的好书。

　　本书的第 1 章由重庆工商大学计算机科学与信息工程学院的刘波博士翻译；第 2 章、第 5 章至第 9 章由苗贝贝翻译；第 3 章和第 4 章由史斌翻译。同时，刘波博士负责全书的技术审稿工作。

　　翻译本书的过程也是译者不断学习的过程。为了保证专业词汇翻译的准确性，意译部分既不失原著意境又无偏差，在翻译过程中查阅了大量相关资料。但由于时间和能力有很，书中内容难免出现差错。若有问题，读者可通过电子邮件 liubo7971@163.com 和 alingse@foxmail.com 与我们联系，欢迎一起探讨，共同进步。并且，我们也会将勘误信息公布在 http://www.cnblogs.com/ml-cv/ 上。

本书翻译过程得到如下项目资助：（1）重庆市教委研究项目"多核正则化机器学习理论研究"，项目号为 KJ130709；（2）重庆工商大学研究项目"基于多核学习的高维数据分析研究"，项目号为 2013-56-09；（3）电子商务及供应链系统重庆市重点实验室研究项目"基于迹比率的特征选择及关键技术研究"；（4）大数据稀疏表示判别字典学习及其应用技术研究，项目号为 KJ1400612。

感谢重庆工商大学计算机科学与信息工程学院金融信息化专业杨仕喜同学对本书代码进行验证，并提出了宝贵意见。感谢家人的支持与鼓励，尤其感谢妻子杨雪莉和女儿刘典、刘恩丫，她们的信任与鼓励给我提供了不断前进的动力。

刘波

2016 年 3 月

　　OpenCV 3 是一种先进的计算机视觉库，可以用于各种图像和视频处理操作，通过 OpenCV 3 能很容易地实现一些有前景且功能先进的应用（比如：人脸识别或目标跟踪等）。理解与计算机视觉相关的算法、模型以及 OpenCV 3 API 背后的基本概念，有助于开发现实世界中的各种应用程序（比如：安全和监视领域的工具）。

　　本书将从图像处理的基本操作出发，带你开启先进计算机视觉概念的探索之旅。计算机视觉是一个快速发展的学科，在现实生活中，它的应用增长得非常快，因此写作本书的目的是为了帮助计算机视觉领域的新手和想要了解全新的 OpenCV 3.0.0 的计算机视觉专家。

本书的主要内容

　　第 1 章介绍如何在不同平台下安装基于 Python 的 OpenCV，并给出一些常见问题的解决方法。

　　第 2 章介绍了 OpenCV 的 I/O 功能，并讨论与项目相关的概念，以及如何针对该项目进行面向对象设计。

　　第 3 章介绍一些图像变换方法，例如在图像中检测肤色、锐化图像、标记主体轮廓，以及使用线段检测器检测人行横道等。

　　第 4 章介绍如何利用深度摄像头的数据来识别前景和背景区域，这样就可以限制针对前景或背景的效果。

　　第 5 章介绍一些 OpenCV 的人脸检测功能和相关的数据文件，这些文件定义了跟踪目标的特定类型。

　　第 6 章介绍如何用 OpenCV 来检测图像特征，并利用这些特征来匹配和搜索图像。

　　第 7 章介绍目标检测和目标识别的概念，这是计算机视觉中最常见的问题之一。

　　第 8 章对目标跟踪进行深入探讨，目标跟踪是对摄像机中的图像或视频中移动的物体进行定位的过程。

第 9 章介绍基于 OpenCV 的人工神经网络，并介绍其在现实生活中的应用。

阅读前的准备工作

本书第 1 章会指导读者安装所有必要软件，你只需准备一台较新的计算机。另外，强烈推荐为计算机安装摄像头，但这并不是必备的。

本书的读者对象

本书针对具有一定 Python 工作经验的程序员以及想要利用 OpenCV 库研究计算机视觉课题的读者。本书不要求读者具有计算机视觉或 OpenCV 经验，但要具有编程经验。

本书体例

本书有很多用来区分不同信息的文本格式，下面给出一些这类格式的样例，并解释它们的含义。

代码块的格式如下：

```
import cv2
import numpy as np

img = cv2.imread('images/chess_board.png')
gray = cv2.cvtColor(img, cv2.COLOR_BGR2GRAY)
gray = np.float32(gray)
dst = cv2.cornerHarris(gray, 2, 23, 0.04)
```

为了提醒读者注意代码块中的特殊部分，会将相关行或相关项设置为粗体：

```
img = cv2.imread('images/chess_board.png')
gray = cv2.cvtColor(img, cv2.COLOR_BGR2GRAY)
gray = np.float32(gray)
dst = cv2.cornerHarris(gray, 2, 23, 0.04)
```

命令行的输入或输出的格式为：

```
mkdir build && cd build
cmake D CMAKE_BUILD_TYPE=Release -DOPENCV_EXTRA_MODULES_PATH=<opencv_
contrib>/modules  D CMAKE_INSTALL_PREFIX=/usr/local ..
make
```

注意：警告或重要注释以这样的形式出现。

 提示：提示和技巧以这样的形式出现。

下载示例代码

读者可登录华章网站（www.hzbook.com）本书页面，下载本书示例代码。

作者简介 *About the Authors*

Joe Minichino 是 Hoolux Medical 从事计算机视觉的工程师，他利用业余时间开发了 NoSQL 数据库 LokiJS。他也是重金属歌手 / 作曲家。他是一个充满激情的程序员，对编程语言和技术非常好奇，并一直在使用它们。在 Hoolux，Joe 领导了针对医疗行业的 Android 计算机视觉广告平台的开发。

他出生在意大利瓦雷泽市的 Lombardy，并在那里长大，在米兰 Universitá Statale 受过哲学教育，最近 11 年 Joe 在爱尔兰的 Cork 度过，在这里他成为 Cork 技术研究所的一名计算机科学研究生。

我非常感谢我的合作伙伴 Rowena，她总是鼓励我，也感谢两个小女儿给我灵感。非常感谢这本书的合作者和编辑，尤其是 Joe Howse、Adrian Roesbrock、Brandon Castellano、OpenCV 社区，以及 Packt 出版社中那些为本书付出劳动的人。

Joseph Howse 生活在加拿大。在冬天，他留着胡子，而他的四只猫留着厚皮毛。他喜欢每天给猫梳毛。有时猫还会抓他的胡子。

自 2012 年以来，他一直在为 Packt 出版社写作，他的著作包括《 OpenCV for Secret Agents 》《 OpenCV Blueprints 》《 Android Application Programming with OpenCV 3 》《 OpenCV Computer Vision with Python 》以及《 Python Game Programming by Example 》。

当他不写书或打理萌宠时，他会提供咨询和培训，并通过他的公司（Nummist Media 公司（http://nummist.com））进行软件开发服务。

Nandan Banerjee　拥有计算机科学学士学位和机器人工程硕士学位。他毕业后在三星电子工作。他在班加罗尔的研发中心工作了一年。为了参加 DARPA 机器人挑战，他还曾在位于 Atlas 的 Boston Dynamics 机器人公司的 WPI-CMU 团队工作过。目前他是 iRobot 公司的一名机器人软件工程师。他是一名嵌入式系统和机器人爱好者，主要喜欢计算机视觉和运动规划。他熟悉各种语言，包括 C、C++、Python、Java 和 Delphi。他在工作中会用到 ROS、OpenRAVE、OpenCV、PCL、OpenGL、CUDA 和 Android SDK。

我要感谢作者和出版商能出版这样精彩的书。

Tian Cao　在美国教堂山的北卡罗来纳州大学攻读计算机科学博士学位，并参与图像分析、计算机视觉和机器学习等项目。

我将这项工作献给我的父母和女友。

Brandon Castellano　来自加拿大的学生，在加拿大伦敦市西安大略大学攻读电气工程硕士学位。在 2012 年，他获得同专业的学士学位。他主要研究实时图像处理算法的并行处理实现和 GPGPU/FPGA 优化。Brandon 也在 Eagle Vision Systems 公司工作过，他在这家公司主要专注于机器人应用中的实时图像处理。

虽然他使用 OpenCV 和 C++ 超过 5 年了，但他在研究中一直提倡使用 Python，因为 Python 开发速度快，可与复杂系统实现低级对接。他在 GitHub 上有开源项目，例如，PySceneDetect，这些项目大部分是用 Python 编写的。除了图像/视频处理，他还致力于实现三维展示，并提供软件工具来支持这样的开发。

他除了在他的网站（http://www.bcastell.com）上张贴技术文章和教程外，还参与各种开源和不开源的项目，他在 GitHub 上的用户名为 Breakthrough（http://www.github.com/Breakthrough）。他是 Super User 和 Stack Overflow 社区的活跃成员（其名字仍是

Breakthrough），可直接通过他的网站与他联系。

我要感谢过去几年所有的朋友和家人的耐心（尤其是我的父母 Peter 和 Lori 以及我的兄弟 Mitchell），没有他们持续的爱和支持，我不可能取得这一切成就。

我还要特别感谢所有致力开源软件库的开发者，特别是 OpenCV，这有助于将前沿的软件技术免费带给世界各地的软件开发者。也想感谢那些写文档、提交错误报告和写教程 / 书籍（尤其是这本书的作者！）的人们，你们的贡献对任何开源项目的成功至关重要，尤指像 OpenCV 这样复杂庞大的开源软件。

Haojian Jin 位于加拿大 Sunnyvale 雅虎实验室的软件工程师 / 研究员。他主要开发移动新设备上（或最少硬件更改）的新系统。为了创建当今不存在的事物，他花费了大量时间来研究信号处理、计算机视觉、机器学习和自然语言处理，并以有趣的方式来使用它们。可在 http://shift-3.com/ 上找到更多关于他的信息。

Adrian Rosebrock 一位作家，也是 http://www.pyimagesearch.com/ 的博主。他有马里兰大学计算机科学博士学位，侧重于计算机视觉和机器学习的研究。

他曾在癌症研究所从事通过乳腺图像来自动预测乳腺癌的危险因素的研究。他还写了《Practical Python and OpenCV》一书（http://pyimg.co/x7ed5），这本书介绍如何利用 Python 和 OpenCV 来构建现实世界中的计算机视觉应用。

刘波　博士，重庆工商大学计算机科学与信息工程学院教师，主要从事机器学习理论、计算机视觉和最优化技术研究，同时对 Hadoop 和 Spark 平台上的大数据分析感兴趣，也对 Linux 编程和 Oracle 数据库感兴趣。

苗贝贝　硕士，北京工商大学计算机与信息工程学院研究生，主要从事机器学习理论、时间序列动力学特征分析及应用的研究，对基于 Python 的计算机视觉分析有浓厚的兴趣。

史斌　2015 年本科毕业于电子科技大学计算机学院，目前就职于成都知数科技有限公司，主要从事数据爬取、数据处理、平台运维等工作，熟悉 Python、Linux shell，同时热爱计算机视觉编程，熟悉 Python 下的 OpenCV 编程。

目　录 *Contents*

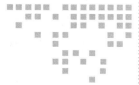

第 1 章　*Chapter 1*

安装 OpenCV

既然选择本书，就说明你可能对 OpenCV 有些了解。也许你看过科幻探险中的人脸检测，并对此着迷。如果是这样，那本书将是你最佳的选择。OpenCV 为 Open Source Computer Vision 的缩写，是一个免费的计算机视觉库，可通过处理图像和视频来完成各种任务，包括显示摄像头输入的信号以及使机器人识别现实生活中的物体。

本书将介绍如何使用基于 Python 编程语言的 OpenCV，这是一种很有潜力的方法。Python 是一种优雅的语言，学习起来相对容易，并且其功能非常强大。本章首先简单介绍 Python 2.7、OpenCV 及其他相关库的安装，然后介绍 OpenCV 提供的 Python 示例脚本和文档。

 注意： 如果想跳过安装过程直接使用，可从网站 http://techfort.github.io/pycv/ 下载虚拟机（VM）。

该文件可在 VirtualBox 上使用，VirtualBox 是免费的虚拟化应用程序，允许人们建立并运行虚拟机。该虚拟机基于 Ubuntu Linux 14.04 操作系统，并且已经安装了所需要的软件，可在上面直接编程。

为了让该虚拟机运行流畅，至少需要 2GB 的内存，所以一定要确保分配至少 2GB（超过 4GB 会更好）的内存给虚拟机，这就意味着整个计算机至少需要 6GB 内存才能运行流畅。

本章将介绍以下库的安装：

❑ **NumPy：** 这是 OpenCV 绑定 Python 时所依赖的库，它提供了数值计算函数，包括高效的矩阵计算函数。

❑ SciPy：该库是一个与 NumPy 密切相关的科学计算库。虽然 OpenCV 不需要该库，但它在处理 OpenCV 的图像数据方面非常有用。

❑ OpenNI：该库是 OpenCV 的一个可选依赖。它支持一些深度摄像头，如 Asus 的 XtionPRO。

❑ SensorKinect：该库是一个 OpenNI 插件，也是 OpenCV 的可选依赖。它支持微软的 Kinect 深度摄像头。

注意：由于除第 4 章外的其他章节或附录不会用到 OpenNI 和 SensorKinect，因此本书将它们作为可选库。

本书将重点介绍 OpenCV 3，它是 OpenCV 库最新发布的版本。关于 OpenCV 的其他信息可查阅 http://opencv.org，相关文档可在 http://docs.opencv.org/master 上找到。

1.1 选择和使用合适的安装工具

读者可根据所使用的操作系统和想要的配置来选择安装工具。下面介绍基于 Windows、Mac、Ubuntu 和其他类 Unix 系统下的工具安装。

1.1.1 在 Windows 上安装

Windows 并没有预装 Python 软件。下面的安装步骤适用于预编译好的 Python、NumPy、SciPy 和 OpenCV。另外，也可从源代码进行安装，这需要使用 CMake 来配置 OpenCV 的构建系统（build system），并用 Visual Studio 或 MinGW 编译。

如果想要支持深度摄像头（如 Kinect），则应该先安装 OpenNI 和 SensorKinect，这两个库的预编译二进制文件都带有安装向导。然后必须从源代码来构建 OpenCV。

注意：OpenCV 的预编译版本不支持深度摄像头。

在 Windows 系统中，OpenCV 2 对 32 位 Python 的支持要比 64 位的好。但是，由于现在大多数计算机都是 64 位系统，因此本书会针对 64 位系统进行介绍。提供 64 位 Python 的网站也有 32 位版本的安装程序。

下面的一些步骤需要修改系统的 PATH 变量，这可以通过"控制面板"（Control Panel）中的"环境变量"（Environment Variables）窗口完成。

1）在 Windows Vista / Windows 7/ Windows 8 中，单击"开始"菜单，打开"控制面

板"，然后选择"系统"和"安全 | 系统 | 高级系统设置"，单击"环境变量 ..."按钮。

2）在 Windows XP 中，单击"开始"菜单，选择"控制面板 | 系统"，然后选择"高级"选项卡，单击"环境变量…"按钮。

3）在"系统变量"中选择"路径"，然后单击"编辑"按钮。

4）按规定进行修改。

5）为了保存修改内容，可全部选择"确定"按钮（直到回到"控制面板"的主窗口）。

6）然后注销并重新登录（或者重新启动系统）。

1. 使用二进制安装程序（不支持使用深度摄像头）

读者若愿意可以选择单独安装 Python 及其相关库；但在 Python 的发行版中附带了整个 SciPy 栈（SciPy stack）（包括 Python 和 NumPy）的安装程序，这使得安装开发环境变得非常简单。

Anaconda Python 就是这样一个发行版（下载地址为：http://09c8d0b2229f813c1b93c95ac804525aac4b6dba79b00b39d1d3.r79.cf1.rackcdn.com/Anaconda-2.1.0Windows x86_64.exe）。安装该软件后，记得按前面的步骤将 Anaconda 的安装路径添加到 PATH 变量中。

下面是安装 Python 2.7、NumPy、SciPy 和 OpenCV 的步骤：

1）从 https://www.python.org/ftp/python/2.7.9/python-2.7.9.amd64.msi 网站下载并安装 64 位 Python 2.7.9。

2）从 http://www.lfd.uci.edu/~gohlke/pythonlibs/#numpyhttp://sourceforge.net/projects/numpy/files/NumPy/1.6.2/numpy-1.6.2-win32-superpackpython2.7.exe/download 网站下载并安装 NumPy 1.6.2（注意，在 64 位 Windows 上安装 NumPy 会有点麻烦，因为 64 位的 Fortran 编译器没有 Windows 版本，而 NumPy 库需要该编译器。上述链接是非官方的二进制版本）。

3）从 http://www.lfd.uci.edu/~gohlke/pythonlibs/#scipyhttp://sourceforge.net/projects/scipy/files/scipy/0.11.0/scipy-0.11.0win32-superpack-python2.7.exe/download 网站下载并安装 SciPy 11.0（ScriPy 和 NumPy 一样，都是社区（community）版的安装程序）。

4）在 https://github.com/Itseez/opencv 下载 OpenCV 3.0.0 的自解压 ZIP 文件。运行该文件，会提示输入一个目标文件夹，本书称之为 <unzip_destination>，然后会建立一个子文件夹，称为 <unzip_destination>\opencv。

5）复制 <unzip_destination>\opencv\build\python\2.7\cv2.pyd 到 C:\Python2.7\Lib\site-packages（假设已经将 Python 2.7 安装到了默认文件夹）。如果安装 Anaconda 版本的 Python 2.7，则会使用 Anaconda 安装程序所指定的文件夹，而不是 Python 安装时默认的文件夹。现在，新安装的 Python 可以找到 OpenCV 了。

6）如果想让默认安装的新 Python 运行脚本，需要修改系统变量 PATH，将 C:\

Python2.7（假设已经在默认位置安装了 Python 2.7）或将 Anaconda 安装文件夹添加到该变量中。删除所有以前的 Python 路径，如：C:\Python2.6。注销并重新登录（或者重新启动系统）。

2. 使用 CMake 和编译器

Windows 不附带任何编译器或 CMake，因此需要安装。如果想要支持深度摄像头（比如 Kinect），还需要安装 OpenNI 和 SensorKinect。

假设已经安装了 64 位的 Python 2.7、NumPy 和 SciPy，从二进制（像前面介绍的那样）文件或从源代码进行安装都可以。现在可以安装编译器和 CMake，选择性地安装 OpenNI 和 SensorKinect，然后从源代码编译 OpenCV。

1）在 http://www.cmake.org/files/V3.1/ cmake-3.1.2-Win32-x86.exe 下载并安装 CMake 3.12。在运行安装程序时，要选择"为所有用户添加 CMake 路径到系统变量 PATH 中"或选择"为当前用户添加 CMake 路径到系统变量 PATH 中"。不要担心 64 位的 CMake 是否可用，它仅仅是一个配置工具，本身不执行任何编译。在 Windows 中，它可以创建能用 Visual Studio 打开的工程文件。

2）在 https://www.visualstudio.com/products/free-developer-offers-vs.aspx?slcid = 0x409&type = web 或 MinGW 下载并安装 Microsoft Visual Studio 2013（如果您使用 Windows 7，请下载 Desktop 版）。

注意，这里需要用 Microsoft 账户登录，如果没有，可立即创建一个。安装软件，并在安装完成后，重启计算机。

至 于 MinGW，可 以 在 http://sourceforge.net/projects/mingw/files/Installer/mingw-get-setup.exe/download 和 http://sourceforge.net/projects/mingw/files/OldFiles/mingw-get-inst/mingw-get-inst-20120426/mingw-get-inst-20120426.exe/download 下载。当运行安装程序时，请确保目标路径不包含空格，并需要选择 C++ 编译器。将 C：\MinGW\ BIN（假设这是 MinGW 默认的安装位置）添加到 PATH 变量中。然后重启系统。

3）另外，从 GitHub 的 OpenNI 主页 https://github.com/OpenNI/OpenNI 中下载并安装 OpenNI 1.5.4.0。

4）可从网站 https://github.com/avin2/SensorKinect/blob/unstable/Bin/SensorKinect093-Bin-Win32-v5.1.2.1.msi?raw=true（32-bit）下载并安装 SenorKinect 0.93。另外，在以下网站下载并安装 64 位 Python 的版本：https://github.com/avin2/SensorKinect/blob/unstable/Bin/SensorKinect093-Bin-Win64-v5.1.2.1.msi?raw=true(64-bit)。请注意，该软件库已经至少有三年没更新了。

5）在 https://github.com/Itseez/opencv 下载 OpenCV3.0.0 的自解压 ZIP 文件并运行，根

据提示输入一个目标文件夹名，这里称之为 <unzip_destination>。然后创建一个子文件夹，这里称为 <unzip_destination> \ opencv。

6）转到命令提示符下，利用下面的命令创建另外一个文件夹，编译 OpenCV 的结果会放在该文件夹中：

```
> mkdir<build_folder>
```

进入 build 文件夹：

```
> cd <build_folder>
```

7）现在开始配置编译环境和选项。如果想要了解所有的选项，可查看 <unzip_destination> \ opencv\CMakeLists.txt 中的代码。但本书只需要一个基于 Python 的发行版本，另外可选择支持深度摄像头的 OpenNI 和 SensorKinect。

8）打开 CMake（cmake-gui），并指定 OpenCV 源代码的位置以及所生成库的文件夹。单击"配置"，选择要生成的项目，这里选择 Visual Studio 12（对应于 Visual Studio 2013）。CMake 完成项目配置后，会输出一个创建好的选项列表。如果有些选项的背景显示为红色，这可能是 CMake 在警告某些依赖无法找到，因此需要重新配置你的项目。许多 OpenCV 的依赖是可选的，所以不要太在意。

 注意： 如果生成项目失败，或者在后面的运行过程中出现问题，可能需要安装某些依赖（通常有预编译好的二进制文件），然后通过这一步来重新构建 OpenCV。

可以选择 / 取消生成选项（根据计算机上安装的库而定），再次单击"配置"，直到不再提示错误信息为止。

9）最后，单击"生成"，这会在选择的构建文件夹中创建 OpenCV.sln 文件。在 Visual Studio 2013 中选择并打开 <build_folder>/OpenCV.sln 文件，用 ALL_BUILD 选项来构建项目。为了得到**调试**和**发行**版本的 OpenCV，需要先在"调试"模式下生成库，然后选择"发行"，并重新构建（按 F7 键可以执行构建命令）。

10）现在 OpenCV 构建目录中有一个 bin 文件夹，该文件夹包含所有生成的 .dll 文件，在项目中引用这些文件就可以使用 OpenCV 提供的功能。

另外，对于 MinGW 编译器，可以执行以下命令：

```
> cmake -D:CMAKE_BUILD_TYPE=RELEASE -D:WITH_OPENNI=ON -G
"MinGWMakefiles" <unzip_destination>\opencv
```

如果没有安装 OpenNI，则需删除 -D：WITH_OPENNI= ON 选项（这样就不会支持深度摄像头）。如果 OpenNI 和 SensorKinect 没有安装在默认文件夹下，则可通过下面的方式将这二者包含在编译选项中：-D:OPENNI_LIB_DIR=<openni_install_destination>\Lib-D:OPENNI_INCLUDE_DIR=<openni_install_destination>\Include-D:OPENNI_PRIME_SENSOR_MODULE_BIN_DIR=<sensorkinect_install_destination>\Sensor\Bin。

另外，对于MinGW，可运行如下命令：

```
> mingw32-make
```

11）从Visual Studio生成的文件夹中复制<build_folder>\lib\Release\cv2.pyd到<python_installation_folder>\site-packages，也可以从MinGW生成的文件夹中复制<build_folder>\lib\ cv2.pyd到<python_installation_folder>\site-packages。

12）最后，修改系统的PATH变量，将Visual Studio生成的<build_folder>/bin/Release文件夹或MinGW生成的<build_folder>/bin文件夹添加到PATH变量中，然后重启系统。

1.1.2 在OS X系统中安装

通常由于Apple系统的内部需求，一些版本的Mac会预先安装Python 2.7。但是这种情况已经发生改变，OS X的标准版本会安装有标准的Python。在python.org网站还可以找到通用的二进制文件，该文件可兼容全新的英特尔系统和旧的PowerPC系统。

注意： 可以在https://www.python.org/downloads/release/python-279/下载安装程序（如针对Mac OS X的32位PPC系统或Mac OS X的64位英特尔系统的安装程序）。利用下载的.dmg文件可以安装Python，这样会直接覆盖系统已经安装的Python。

对于Mac而言，有多种途径获得标准的Python 2.7、NumPy、SciPy和OpenCV。所有这些途径所需要的OpenCV都是由Xcode开发工具编译源代码而得到。然而，用户根据不同的途径可利用第三方工具用不同的方法来实现自动编译。这里将基于MacPorts和Homebrew来介绍这些方法。这些工具可实现CMake的所有功能，并有助于解决依赖问题，也能将开发库从系统库中分离开。

提示： 推荐使用MacPorts，若想通过编译OpenNI和SensorKinect库来让OpenCV支持深度摄像头，就更应如此。MacPorts可以直接提供相关的补丁文件和构建脚本以及一些笔者认为重要的东西。而当前的Homebrew没有提供很好的方案来编译OpenCV以使其支持深度摄像头。

在使用前，请确保Xcode开发工具已经正确安装：

1）从Mac App Store或https://developer.apple.com/xcode/downloads/下载并安装Xcode。

在安装过程中，如果出现"命令行工具 (Command Line Tools)"选项，就选择它。

2）打开 Xcode 并接受许可协议。

3）最后，如果安装过程没有出现"命令行工具"选项，就需要执行以下步骤。选择 Xcode|Preferences|Dowloads，单击"命令行工具"，再单击"安装"按钮，等完成安装后退出 Xcode。

另外，还可通过运行下面的命令来安装 Xcode 的命令行工具（在终端执行下面的命令）：

```
$ xcode-select -install
```

现在已经安装好了编译器。

1. 使用 MacPorts 的现成包

MacPorts 的软件包管理器有助于安装 Python 2.7、NumPy 和 OpenCV。 MacPorts 提供了各种终端命令来自动下载、编译、安装**开源软件**（Open source software ，OSS）包，还可根据需要安装所依赖的库。对每一种软件，可通过配置文件（该文件称为 Portfile 文件）来定义依赖关系和要生成的内容。一个 MacPorts 资源库其实是很多 Portfile 文件的集合。

介绍完如何在系统上安装 Xcode 和其命令行工具之后，下面将介绍利用 MacPorts 来安装 OpenCV 的步骤：

1）从 http://www.macports.org/install.php 网站下载并安装 MacPorts。

2）如果想要支持 Kinect 的深度摄像头，需要让 MacPorts 知道在哪里可以下载到特定的 Portfile 集，在前面也曾提到过这个集合。因此，要修改 /opt/local/etc/macports/sources.conf（假设 MacPorts 已经安装在默认位置）。在 rsync:// rsync.macports.org/release/ports/ [default] 这一行的前面添加一行：http://nummist.com/opencv/ports.tar.gz，然后保存文件。现在，MacPorts 会先在用户自定义的在线资源库搜索 Portfiles，然后在默认的在线资源库中搜索。

3）打开终端并运行下面的命令来更新 MacPorts：

```
$ sudo port selfupdate
```

出现提示时，请输入密码。

4）现在可运行（如果使用作者提供的资源库）下面的命令来安装 OpenCV，该 OpenCV 与 Python 2.7 绑定，并支持深度摄像头和 Kinect 本身：

```
$ sudo port install opencv +python27 +openni_sensorkinect
```

另外（不管使不使用作者所提供的资源库）可运行以下命令来安装 OpenCV，该 OpenCV 与 Python 2.7 绑定，并且支持深度摄像头，但不支持 Kinect：

```
$ sudo port install opencv +python27 +openni
```

注意： 包括 Python 2.7、NumPy、OpenNI 以及 SensorKinect（参考第一个例子）在内的依赖都可自动安装。通过添加选项 +python27 将 opencv 变量（生成的配置）与 Python 2.7 绑定。同样，选项 + openni_sensorkinect 能使用 OpenNI 和 SensorKinect 库来支持深度摄像头。如果不打算支持深度摄像头，可将 + openni_sensorkinect 选项删掉；如果只打算使用与 OpenNI 兼容的深度摄像头，可以用命令 +openni 代替 + openni_sensorkinect。输入以下命令可以在安装前查看可用变量的完整列表：

```
$ port variants opencv
```

根据特殊需求，可以在 install 命令中添加其他变量。也可自定义变量（下一节会介绍），这会更灵活。

5）另外，运行下面的命令来安装 SciPy：

```
$ sudo port install py27-scipy
```

6）Python 的安装文件为 python2.7。如果要将默认的 Python 安装文件链接成 python2.7，可执行以下命令：

```
$ sudo port install python_select
$ sudo port select python python27
```

2. 在 MacPorts 上使用自定义软件包

通过多增加几步，就可以改变 MacPorts 编译 OpenCV 和其他软件包的方式。前面介绍的 MacPorts 是通过配置 Portfiles 文件来定制构建内容。通过创建或修改 Portfiles，可访问具有高配置性的构建工具（如 CMake），同时用户还能使用 MacPorts 提供的功能（例如解析依赖）。

假设已经安装了 MacPorts，现在可使用自定义的 Portfiles 来配置 MacPorts：

1）创建一个保存自定义 Portfiles 的文件夹，并命名为 <local_repository>。

2）修改 /opt/local/etc/macports/sources.conf 文件（假设 MacPorts 已经安装到默认位置）。在 rsync:// rsync.macports.org/release/ports/ [default] 这一行的前面加入一行 files: //<local_repository>。

例如，如果 <local_repository> 为 /Users/Joe/Portfiles，则需要添加这样一行：file:///Users/Joe/Portfiles。

然后保存文件（注意有三斜杠）。现在，MacPorts 会先在 <local_repository> 中搜索 Portfiles，然后在默认的在线资源库中搜索。

3）打开终端并更新 MacPorts，以确保 Portfiles 是默认资源库中最新版本：

```
$ sudo port selfupdate
```

4）复制默认资源库中 opencv 的 Portfile 作为例子，同时还复制该文件夹结构，该结构决定了 MacPorts 对软件包是如何归类的：

```
$ mkdir <local_repository>/graphics/
$ cp /opt/local/var/macports/sources/rsync.macports.org/release/
ports/graphics/opencv <local_repository>/graphics
```

另外有一个对 Kinect 支持的例子，可从作者的在线资源库 http://nummist.com/opencv/ ports.tar.gz 中下载，解压并复制整个 graphics 文件夹到 <local_repository> 文件夹中：

```
$ cp <unzip_destination>/graphics <local_repository>
```

5）修改 <local_repository> /graphics/ opencv/ Portfile。注意，该文件设定了 CMake 的配置标记（configuration flag）、依赖关系以及变量（variant）。有关修改 Portfile 的详细信息可访问 http://guide.macports.org/#development。

要理解与 OpenCV 相关的 CMake 配置标记，需要查看 CMake 的源代码。从 https:// github.com/Itseez/opencv/archive/3.0.0.zip 下载压缩的源代码，并解压，然后阅读 <unzip_ destination> /OpenCV-3.0.0/CMakeLists.txt 文件。在 Portfile 修改完成后，单击"保存"。

6）现在，需要在本地资源库中生成索引文件，以便 MacPorts 可找到新的 Portfile：

```
$ cd <local_repository>
$ portindex
```

7）现在就可以像其他 MacPorts 包一样使用自定义的 opencv 文件了。例如，可用如下命令进行安装：

```
$ sudo port install opencv +python27 +openni_sensorkinect
```

请注意，本地资源库中的 Portfile 比默认资源库的 Portfile 的优先级要高，这由它们的顺序决定，这个顺序列表可在 /opt/local/etc/macports/sources.conf 找到。

3. 使用 Homebrew 的现成包（不支持深度摄像头）

Homebrew 是另一个有用的包管理器。通常情况下，不要将 MacPorts 和 Homebrew 安装在同一台机器上。

在操作系统上安装 Xcode 和命令行工具之后，接下来介绍利用 Homebrew 来安装 OpenCV 的步骤：

1）打开终端，运行下面的命令来安装 Homebrew：

```
$ ruby -e "$(curl -fsSkLraw.github.com/mxcl/homebrew/go)"
```

2）与 MacPorts 不同，Homebrew 不能自动把可执行文件添加到环境变量 PATH 中。要做到这一点，需创建或修改 ~/ .profile 文件，并在顶部加入一行代码：

```
export PATH=/usr/local/bin:/usr/local/sbin:$PATH
```

保存文件并运行以下命令更新环境变量 PATH：

```
$ source ~/.profile
```

请注意，Homebrew 安装的可执行文件采用系统安装的可执行文件的程序。

3）运行以下命令可以查阅 Homebrew 的自我诊断（self-diagnostic）报告：

```
$ brew doctor
```

参考所给出的问题解答建议。

4）现在更新 Homebrew：

```
$ brew update
```

5）运行以下命令来安装 Python 2.7：

```
$ brew install python
```

6）现在来安装 NumPy。Python 库软件包提供的 Homebrew 选择是有限的，所以需要使用单独的包管理工具 pip，该工具是 Homebrew 的 Python 自带的。

```
$ pip install numpy
```

7）SciPy 含有一些 Fortran 代码，因此需要合适的编译器。可以使用 Homebrew 安装 gfortran 编译器：

```
$ brew install gfortran
```

现在，可以安装 SciPy 了：

```
$ pip install scipy
```

8）可运行以下命令在 64 位（所有 2006 年下半年生产的 Mac 硬件设备）系统上安装 OpenCV：

```
$ brew install opencv
```

4. 在 Homebrew 上自定义软件包

Homebrew 修改包定义会很简单：

```
$ brew edit opencv
```

包定义实际上是 Ruby 编程语言脚本。在 Homebrew 的 Wiki 主页 https://github.com/mxcl/homebrew/wiki/Formula-Cookbook 可查找到这些脚本。该脚本可定义 Make 或 CMake 的配置标记和其他内容。

理解与 OpenCV 相关的 CMake 的配置标记需要查看 CMake 的源代码。下载保存在 https://github.com/ Itseez / opencv/archive/ 3.0.0.zip 的源代码并解压，然后阅读 <unzip_destination> /OpenCV-2.4.3/CMakeLists.txt 文件。

修改 Ruby 脚本并保存，然后就可像普通包一样来使用自定义包。例如，可以这样安装自定义包：

```
$ brew install opencv
```

1.1.3 在 Ubuntu 及其衍生版本中安装

首先介绍 Ubuntu 操作系统的版本：Ubuntu 的发布周期为 6 个月，每次发布要么带有次版本号 .04，要么带有次版本号 .10（在撰写本书时，Ubuntu 共发布了 14 次）。然而，Ubuntu 每两年也会发布一种称为 Long-term support（LTS）的版本，Canonical 公司（开发 Ubuntu 的公司）对该版本的授权期限是五年。对于在企业工作的用户，推荐安装 LTS 版本，最新的 LTS 版是 14.04。

Ubuntu 带有预安装的 Python，标准的 Ubuntu 资源库包含 OpenCV 2.4.9 包，但它不支持深度摄像头。本书撰写之际，Ubuntu 资源库还不支持 OpenCV 3，所以只能通过源代码进行编译。幸运的是，大多数类 Unix 或 Linux 系统从最初就带有用来创建项目所需要的软件。当从源代码生成项目时，OpenCV 可以通过 OpenNI 和 SensorKinect 来支持深度摄像头，这两个库是预编译好的二进制文件，这些二进制文件集成有安装脚本。

1. 使用 Ubuntu 的资源库（不支持深度摄像头）

以下命令可利用 apt 这样的软件包管理器来安装 Python 及其所依赖的软件包：

```
> sudo apt-get install build-essential
> sudo apt-get install cmake git libgtk2.0-dev pkg-config libavcodecdev
libavformat-dev libswscale-dev
> sudo apt-get install python-dev python-numpy libtbb2 libtbb-dev
libjpeg-dev libpng-dev libtiff-dev libjasper-dev libdc1394-22-dev
```

也可从 Ubuntu 的软件中心进行安装，该中心实际上是 apt 包管理器的图形界面。

2. 从源代码构建 OpenCV

安装完 Python、与 Python 相关的软件包、cmake 后就可构建 OpenCV 了。首先从 https://github.com/Itseez / opencv/archive/ 3.0.0-beta.zip 下载源代码并解压，然后将其移动 到存放在终端上的解压文件的文件夹中。

然后运行以下命令：

```
> mkdir build
> cd build
> cmake -D CMAKE_BUILD_TYPE=Release -D
CMAKE_INSTALL_PREFIX=/usr/local ..
> make
> make install
```

安装结束后，可以在 <opencv_folder>/opencv/samples/python 文件夹和 <script_folder>/ opencv/samples/python2 文件夹下找到 OpenCV 的 Python 示例。

1.1.4　在其他类 Unix 系统中安装

如果 Linux 的发行版是来自 Ubuntu 14.04 LTS 或者 Ubuntu 14.10（如下所示），那么上 面针对 Ubuntu 的安装方法也可用到这些系统中。

❑ Kubuntu 14.04 LTS 或 Kubuntu 14.10

❑ Xubuntu 14.04 LTS 或 Xubuntu 14.10

❑ Linux Mint 17

apt 能运行在 Debian Linux 及其衍生系统中，虽然使用的软件包可能不同，但使用方式 与 Ubuntu 系统中一样。

在 Gentoo Linux 及其衍生系统中，软件包管理器称为 Portage，它与 MacPorts 很相似， 只是可用的软件包有所不同。

在 FreeBSD 的衍生系统中，安装过程也和 MacPorts 类似；事实上，MacPorts 源于 ports，它是一个安装系统，FreeBSD 会采用 ports 来安装系统。https://www.freebsd.org/doc/ handbook/ 提供了 FreeBSD 使用手册，里面介绍了软件安装的全过程。

在其他类 Unix 系统中，包管理器与可用包不一样。请查阅包管理器的说明文档或按名 字搜索与 opencv 相关的包。注意，OpenCV 及其相应的 Python 软件可分成多个包。

也可查阅由系统供应商、资源库持有者或社区所发布的安装说明。由于 OpenCV 带有 摄像头驱动程序以及音频、视频编码器，因此即使系统对这些多媒体支持得不好，也可很 容易地使用 OpenCV 的所有功能。在某些情况下，由于兼容性问题，系统包可能需要重新 配置或重新安装。

如果有针对 OpenCV 的软件包，请检查这些包的版本号。本书推荐使用针对 OpenCV 3

及其更高版本的软件包。此外，需检查这些软件包是否支持 Python，还要检查是否可通过 OpenNI 和 SensorKinect 库来支持深度摄像头。最后还需要检查是否有人在开发者社区发布软件包的安装方法以及对安装失败的讨论。

如果要从源代码构建自定义的 OpenCV，可参考针对 Ubuntu 的安装脚本（在上面介绍过），并将这些脚本用于包管理器和其他系统的包。

1.2　安装 Contrib 模块

有些模块包含在称为 opencv_contrib 的资源库中，它们可以在 https://github.com/Itseez/opencv_contrib 下载，这与 OpenCV 2.4 不同。强烈建议安装这些模块，因为它们含有 OpenCV 没有的功能，例如人脸识别模块。

下载完成后（无论是通过 zip 还是 git，都推荐使用 git，因为可通过 git pull 命令来更新模块），需重新运行如下的 cmake 命令，该命令可生成带 opencv_contrib 模块的 OpenCV 项目：

```
cmake -DOPENCV_EXTRA_MODULES_PATH=<opencv_contrib>/modules <opencv_
source_directory>
```

如果已经按照标准流程进行安装并在下载 OpenCV 的文件夹下创建一个 build 文件夹，然后运行下面的命令：

```
mkdir build && cd build
cmake -D CMAKE_BUILD_TYPE=Release -DOPENCV_EXTRA_MODULES_PATH=<opencv_
contrib>/modules  -D CMAKE_INSTALL_PREFIX=/usr/local ..
make
```

1.3　运行示例

测试 OpenCV 是否正确安装的好方法是运行几个示例脚本，这些示例与 OpenCV 的源代码保存在一起。

在 Windows 系统中，若下载并运行 OpenCV 的自解压 ZIP 文件，可以在 <unzip_destination>/opencv/samples 中找到示例。

在类 Unix 系统（包括 Mac）中，可从 https://github.com/Itseez/opencv/archive/3.0.0.zip 下载源代码压缩包并解压（如果还没有这样做）。在 <unzip_destination>/OpenCV-3.0.0/samples 文件夹中可找到示例。

一些示例脚本要求输入命令行参数，但下面的脚本（还有其他脚本）不需要参数：

❑ python/camera.py：该脚本会显示摄像头捕获的图像（需要安装一个网络摄像头）。

❑ python/drawing.py：该脚本绘制了一系列的形状，如一个屏保程序。

❑ python2 / hist.py：该脚本显示了一张照片，按 A、B、C、D 或 E 键可看到照片的各种颜色或灰度直方图。

❑ python2 / opt_flow.py（Ubuntu 没有这个包）：该脚本会显示摄像头捕获的图像，这些图像是经光流（如运动方向）叠加后产生的可视化效果。例如，在摄像头前缓慢挥动手时就可看到相应的效果，按 1 或 2 键可以变换可视化方式。

按 Esc 键可以退出脚本（通过窗口的"关闭"按钮不能退出）。

如果遇到错误信息" ImportError：No module named cv2.cv"，这意味着 Python 脚本没有找到 OpenCV 库。有两种原因可能导致这种情况：

❑ OpenCV 的某些安装步骤可能出错或者没有执行某些安装步骤，遇到这种情况需要返回并检查安装步骤。

❑ 如果计算机安装了多个 Python 软件，那么可能使用了错误的 Python 版本来执行脚本。例如在 Mac 上，一种可能的情况是：已经安装了基于 MacPorts Python 的 OpenCV，但运行脚本时是使用系统的 Python。如果是这样，需要返回并检查编辑系统路径的安装步骤。此外，也可以尝试使用如下命令来手动执行脚本：

```
$ python python/camera.py
```

也可以使用下面的命令：

```
$ python2.7 python/camera.py
```

若选择不同的 Python 安装方式，则可能需要另外一种解决方法，这种方法是通过删除示例脚本中有"＃！"的行。这些可能与安装错误的 Python 进行了关联（其原因视具体安装情况而定）。

1.4 查找文档、帮助及更新

可在网站 http://docs.opencv.org/ 上找到 OpenCV 的帮助文档。该文档有多种 OpenCV API 说明，这些说明包括新 C ++ API、新的 Python API（基于 C ++ API）、旧版本的 C API 以及旧版本的 Python API（基于 C API）。当查找类或函数时，请务必阅读有关新 Python API（cv2 模块）的部分，而不是旧的 Python API（cv 模块）。

这些文档也做成了 PDF 文件，可到下面的网站下载：

❑ API reference：该文档可在 http://docs.opencv.org/modules/refman.html 下载。

❑ Tutorials: 该文档可在 http://docs.opencv.org/doc/tutorials/tutorials.html 下载（这些教

程使用 C ++ 代码；至于 Python 接口的教程代码，可以查阅 Abid Rahman K. 的资源库 http://goo.gl/EPsD1 ）。

如果是在飞机上或其他没有网络的地方写程序，那么应该采用这些文档的离线版本。

如果帮助文档不能解决读者的问题，可在 OpenCV 社区网站提问。下面这些网站活跃着一群乐于助人的开发人员：

❑ OpenCV 论坛：http://www.answers.opencv.org/questions/

❑ David Millán Escrivá 的博客（本书的审稿人之一）：http://blog.damiles.com/

❑ Abid Rahman K 的博客（本书的审稿人之一）：http://www.opencvpython.blogspot.com/

❑ Adrian Rosebrock 的个人网站（本书的审稿人之一）：http://www.pyimagesearch.com/

❑ Joe Minichino 关于本书的网站（本书原作者）：http://techfort.github.io/pycv/

❑ Joe Howse 关于本书的网站（本书第 1 版的作者）：http://nummist.com/opencv/

最后，对于愿意尝试新功能、修复 bug 以及想获取最新的（不稳定的）OpenCV 源代码的资深用户，请查看项目资源库 https://github.com/Itseez/opencv/。

1.5 总结

现在，我们得到了一个安装好的 OpenCV，本书介绍的项目都可以通过它来实现。但根据选择方法的不同，后面还需要一系列的工具或脚本来重新配置并重新生成 OpenCV，以满足我们的需要。

本章已经介绍了查阅 OpenCV Python 示例的网站，对这些示例的介绍超出了本书的范围，但这些示例对学习很有用。

下一章会详细介绍 OpenCV API 最基本的功能，如：显示图像、视频、通过网络摄像头捕获视频以及处理键盘和鼠标的输入。

第 2 章

处理文件、摄像头和图形用户界面

安装 OpenCV 并运行示例是一件很有趣的事情，但若能亲自动手实践将会让人觉得更加有趣。本章将介绍 OpenCV 的 I/O 功能，也会讨论项目的概念，并会接触一些面向对象的项目设计思想，后续章节会重点介绍这些内容。

下面从查看 I/O 功能和设计模式开始来构建项目，这个过程就像做三明治一样：自外向里进行，即在填充（这就像设计算法）之前要准备好面包片，然后才开始制作。选择这种方式是因为计算机视觉应用几乎都与周围的环境相关，即计算机视觉应用会面对真实环境，所以人们希望用统一的接口将后续算法应用到真实环境中。

2.1 基本 I/O 脚本

大多数的 CV 应用程序需要将图像作为输入，同时也会将图像作为输出结果。一个交互式 CV 应用程序可能会将摄像头作为输入源，通过窗口显示输出结果。而其他的输入和输出还可能是图像文件、视频文件和原始字节（raw byte）。例如，在网络中传输的原始字节，这些原始字节可能是由应用中的图形处理算法产生的。

2.1.1 读 / 写图像文件

OpenCV 的 imread 函数 () 和 imwrite() 函数能支持各种静态图像文件格式。不同系统支持的文件格式不一样，但都支持 BMP 格式，通常还应该支持 PNG、JPEG 和 TIFF 格式。

接下来将介绍在 Python 和 NumPy 中表示一幅图像的细节（anatomy）。

无论哪种格式，每个像素都会有一个值，但不同格式表示像素的方式有所不同。例如，可以通过二维 NumPy 数组来简单创建一个黑色的正方形图像：

```
img = numpy.zeros((3,3), dtype=numpy.uint8)
```

如果在控制台打印这张图像，可得到如下结果：

```
array([[0, 0, 0],
       [0, 0, 0],
       [0, 0, 0]], dtype=uint8)
```

每个像素都由一个 8 位整数来表示，即每个像素值的范围是 0 ~ 255。

现在利用 cv2.cvtColor 函数将该图像转换成 Blue-green-red（BGR）格式：

```
img = cv2.cvtColor(img, cv2.COLOR_GRAY2BGR)
```

下面来看看这幅图像发生了什么变化：

```
array([[[0, 0, 0],
        [0, 0, 0],
        [0, 0, 0]],

       [[0, 0, 0],
        [0, 0, 0],
        [0, 0, 0]],

       [[0, 0, 0],
        [0, 0, 0],
        [0, 0, 0]]], dtype=uint8)
```

从这个结果可看出：现在每个像素都由一个三元数组表示，并且每个整型（integer）向量分别表示一个 B、G 和 R 通道。其他色彩空间（如 HSV）也以同样的方式来表示像素，只是取值范围和通道数目不同（例如，HSV 色彩空间的色度值范围是 0 ~ 180）。

可以通过 shape 属性来查看图像的结构，它会返回行和列。如果有 1 个以上的通道，还会返回通道数。

考虑下面这个例子：

```
>>> img = numpy.zeros((3,3), dtype=numpy.uint8)
>>> img.shape
```

执行上面代码得到的结果为（3,3）。如果将图像转化为 BGR 格式，shape 会返回（3,3,3），这表明每个像素存在三个通道。

可读取一种格式的图像文件，然后将其保存为另一种格式。例如，下面的代码会将图像从 PNG 格式转换为 JPEG 格式：

```
import cv2

image = cv2.imread('MyPic.png')
cv2.imwrite('MyPic.jpg', image)
```

 注意：大多数常用的 OpenCV 函数都在 cv2 模块内。可能也会遇到其他基于 cv 或 cv2.cv 模块的 OpenCV 帮助，这些都是传统版本。Python 模块被称为 cv2 并不表示该模块是针对 OpenCV 2.x.x 版本的，而是因为该模块引入了一个更好的 API 接口，它们采用了面向对象的编程方式，这与以前的 cv 模块有所不同，以前的 cv 模块更多采用过程化的编程方式。

在默认情况下，即使图像文件为灰度格式，imread() 函数也会返回 BGR 格式的图像。BGR 与 red-green-blue(RGB) 所表示的色彩空间相同，但字节顺序相反。

下面列出的选项可作为 imread() 函数的参数：

- `IMREAD_ANYCOLOR = 4`
- `IMREAD_ANYDEPTH = 2`
- `IMREAD_COLOR = 1`
- `IMREAD_GRAYSCALE = 0`
- `IMREAD_LOAD_GDAL = 8`
- `IMREAD_UNCHANGED = -1`

例如下面的例子将加载的 PNG 文件作为灰度图像（在这个过程中会丢失所有的颜色信息），然后又将其保存为灰度的 PNG 图像：

```
import cv2

grayImage = cv2.imread('MyPic.png', cv2.IMREAD_GRAYSCALE)
cv2.imwrite('MyPicGray.png', grayImage)
```

若读者对 OpenCV API 不太熟悉，为了避免不必要的麻烦，最好对图像使用绝对路径（例如，Windows 下的绝对路径为 C:\Users\Joe\Pictures\MyPic.png ；在 Unix 下的绝对路径为 /home/joe/pictures/MyPic.png）。图像的相对路径是指 Python 脚本所在的文件夹。因此，在前面的例子中，MyPic.png 必须放在 Python 脚本所在的文件夹中，否则系统会找不到该图像。

无论采用哪种模式，imread() 函数会删除所有 alpha 通道的信息（透明度）。imwrite() 函数要求图像为 BGR 或灰度格式，并且每个通道要有一定的位（bit），输出格式要支持这些通道。例如，bmp 格式要求每个通道有 8 位，而 PNG 允许每个通道有 8 位或 16 位。

2.1.2 图像与原始字节之间的转换

从概念上讲，一个字节能表示 0 到 255 的整数。目前，对于所有的实时图像应用而言，虽然有其他的表示形式，但一个像素通常由每个通道的一个字节表示。

一个 OpenCV 图像是 .array 类型的二维或三维数组。8 位的灰度图像是一个含有字节值的二维数组。一个 24 位的 BGR 图像是一个三维数组，它也包含了字节值。可使用表达式访问这些值，例如 image[0,0] 或 image[0，0，0]。第一个值代表像素的 y 坐标或行，0 表示顶部；第二个值是像素的 x 坐标或列，0 表示最左边；第三个值（如果可用的话）表示颜色通道。

例如，对于一个左上角有白色像素的 8 位灰度图像而言，image[0,0] 的值为 255。对于一个左上角有蓝色像素的 24 位 BGR 图像而言，image[0,0] 是 [255，0，0]。

注意：可以用另外一个表达式，比如 image[0,0] 或 image[0,0]=128，还可表示成 image.item((0,0)) 或 image.setitem((0, 0), 128)。对于单像素操作，第二种表示方式更有效。但在后续章节中，通常希望对一大片图像而不是单个像素进行操作。

若一幅图像的每个通道为 8 位，则可将其显式转换为标准的一维 Python bytearray 格式：

```
byteArray = bytearray(image)
```

反之，bytearray 含有恰当顺序的字节，可以通过显式转换和重构，得到 numpy.array 形式的图像：

```
grayImage = numpy.array(grayByteArray).reshape(height, width)
bgrImage = numpy.array(bgrByteArray).reshape(height, width, 3)
```

下面介绍一个更详细的例子，即将含有随机字节的 bytearray 转换为灰度图像和 BGR 图像：

```
import cv2
import numpy
import os

# Make an array of 120,000 random bytes.
randomByteArray = bytearray(os.urandom(120000))
flatNumpyArray = numpy.array(randomByteArray)

# Convert the array to make a 400x300 grayscale image.
grayImage = flatNumpyArray.reshape(300, 400)
cv2.imwrite('RandomGray.png', grayImage)

# Convert the array to make a 400x100 color image.
```

```
bgrImage = flatNumpyArray.reshape(100, 400, 3)
cv2.imwrite('RandomColor.png', bgrImage)
```

运行该脚本，会随机生成两个图像，它们位于脚本所在的目录，图像名为 RandomGray.png 和 RandomColor.png。

 注意：使用 Python 标准的 os.urandom() 函数可随机生成原始字节，随后会把该字节转换为 NumPy 数组。需要注意的是，诸如 numpy.random.randint(0, 256, 120000).reshape(300, 400) 语句也能直接（并且更高效地）随机生成 NumPy 数组。使用 os.urandom 函数的唯一理由是该语句有助于展示原始字节的转换。

2.1.3 使用 numpy.array 访问图像数据

现在对如何生成图像有了较好的理解，接下来就可以执行基本的图像操作了。众所周知，加载 OpenCV 图像最简单的（也是最常见）的方式是使用 imread 函数，该函数会返回一幅图像，这幅图像是一个数组（根据 imread() 输入参数的不同，该图像可能是二维数组，也可能是三维数组）。

y.array 结构针对数组操作有很好的优化，它允许某些块（bulk）操作，这些操作在通常的 Python 中不可用。这些特定的 .array 操作在 OpenCV 的图像处理中会很方便。从图像处理开始一步步学习，使用一个最基础的例子：将 BGR 图像在（0,0）处的像素转化为白像素。

```
import cv

import numpy as np
img = cv.imread('MyPic.png')
img[0,0] = [255, 255, 255]
```

如果进一步调用标准的 imshow() 函数就能显示图像，并且在显示图像的左上角能看到一个白点。当然，这个功能不是很有用，但可以展示图像处理能够取得什么样的效果。现在，利用 numpy.array 函数来转换数组比用普通的 Python 数组转换要快得多。

假设想要改变一个特定像素的蓝色值，例如，像素坐标（150，120）。numpy.array 提供的 item() 方法会非常方便，该函数有三个参数：x（或左）位置，y（或顶部）位置以及（x，y）位置的数组索引（注意，在 BGR 图像中，某一位置的数据是按 B、G 和 R 这样的顺序保存的三元数组），该函数能返回索引位置的值。另一个方法是通过 itemset() 函数可设置指定像素在指定通道的值（itemset() 有两个参数：一个三元组（x、y 和索引）和要设定的值）。

本例将坐标（150,120）的当前蓝色值（127）变为 255：

```
import cv
import numpy as  np
img = cv.imread('MyPic.png')
print img.item(150, 120, 0)  // prints the current value of B for that
pixel
img.itemset( (150, 120, 0), 255)
print img.item(150, 120, 0)  // prints 255
```

注意，使用 numpy.array 的原因有两个：numpy.array 处理这类问题是经过很好优化的；通过 NumPy 优雅的方法能得到可读性更强的代码，并且不用按第一个示例的方式访问原始索引。

这种特殊的代码本身并不能完成多少功能，但它提供了一种解决方案。然而，建议使用内置的滤波器和方法来处理整个图像，上述方法只适合于处理特定的小区域。

下面介绍一个常见的操作，即操作通道：将指定通道（B、G 或 R）的所有值置为零。

 提示：通过循环来处理 Python 数组的效率非常低，应该尽量避免这样的操作。使用数组索引可以高效地操作像素。像素操作是一个高代价的低效操作，特别是在视频数据处理时，会发现要等很久才能得到结果。可用索引（indexing）来解决这个问题，使用下面的代码可将图像所有的 G（绿色）值设为 0：

```
import cv
import  as np
img = cv.imread('MyPic.png')
img[:, :, 1] = 0
```

这是一段令人惊讶的代码，但很容易理解。最后一行是相关行，该命令行基本上可以让程序获得所有行和列的全部像素，可通过三元数组的索引将像素的颜色值设为 0。如果显示此图像，会发现该图像完全没有绿色。

通过 NumPy 数组的索引访问原始像素，会发现许多有趣的事情；其中一件事情为设定感兴趣区域（Region Of Interest，ROI）。一旦设定了该区域，就可以执行许多操作，例如，将该区域与变量绑定，然后设定第二个区域，并将第一个区域的值分配给第二个区域（将图像的一部分拷贝到该图像的另一个位置）：

```
import cv
import numpy as  np
img = cv.imread('MyPic.png')
my_roi = img[0:100, 0:100]
img[300:400, 300:400] = my_roi
```

要确保这两个区域的大小一样。否则，NumPy 会（立即）给出两个形状不匹配的错误。numpy.array 还有一些有趣的细节，如利用以下代码能获得图像属性：

```
import cv
import numpy  as  np
img = cv.imread('MyPic.png')
print img.shape
print img.size
print img.dtype
```

这三个属性分别为：

❑ Shape：NumPy 返回包含宽度、高度和通道数（如果图像是彩色的）的数组，这在调试图像类型时很有用；如果图像是单色或灰度的，将不包含通道值。

❑ Size：该属性是指图像像素的大小。

❑ Datatype：该属性会得到图像的数据类型（通常为一个无符号整数类型的变量和该类型占的位数，比如 uint8 类型）。

总而言之，强烈建议熟悉常规的 NumPy 库，如果用 OpenCV 还要熟悉 numpy.array 库，因为 numpy.array 库是 Python 处理图像的基础。

2.1.4 视频文件的读/写

OpenCV 提供了 VideoCapture 类和 VideoWriter 类来支持各种格式的视频文件。支持的格式类型会因系统的不同而变化，但应该都支持 AVI 格式。在到达视频文件末尾之前，VideoCapture 类可通过 read() 函数来获取新的帧，每帧是一幅基于 BGR 格式的图像。

可将一幅图像传递给 VideoWriter 类的 write() 函数，该函数会将这幅图像加到 VideoWriter 类所指向的文件中。下面给出了一个示例，该示例读取 AVI 文件的帧，并采用 YUV 颜色编码将其写入另一个帧中：

```
import cv2

videoCapture = cv2.VideoCapture('MyInputVid.avi')
fps = videoCapture.get(cv2.CAP_PROP_FPS)
size = (int(videoCapture.get(cv2.CAP_PROP_FRAME_WIDTH)),
        int(videoCapture.get(cv2.CAP_PROP_FRAME_HEIGHT)))
videoWriter = cv2.VideoWriter(
    'MyOutputVid.avi', cv2.VideoWriter_fourcc('I','4','2','0'),
        fps, size)

success, frame = videoCapture.read()
while success: # Loop until there are no more frames.
    videoWriter.write(frame)
    success, frame = videoCapture.read()
```

要特别注意：必须要为 VideoWriter 类的构造函数指定视频文件名，这个文件名对应的文件若存在，会被覆盖。也必须指定视频编解码器。编解码器的可用性根据系统不同而不同。下面是一些常用选项：

- ❑ cv2.VideoWriter_fourcc（'I', '4', '2', '0'）：该选项是一个未压缩的 YUV 颜色编码，是 4∶2∶0 色度子采样。这种编码有很好的兼容性，但会产生较大文件，文件扩展名为 .avi。
- ❑ cv2.VideoWriter_fourcc（'P', 'I', 'M', '1'）：该选项是 MPEG-1 编码类型，文件扩展名为 .avi。
- ❑ cv2.VideoWriter_fourcc（'X', 'V', 'I', 'D'）：该选项是 MPEG-4 编码类型，如果希望得到的视频大小为平均值，推荐使用此选项，文件扩展名为 .avi。
- ❑ cv2.VideoWriter_fourcc('T','H','E','O')：该选项是 Ogg Vorbis，文件扩展名应为 .ogv。
- ❑ cv2.VideoWriter_fourcc（'F', 'L', 'V', '1'）：该选项是一个 Flash 视频，文件扩展名应为 .flv。

帧速率和帧大小也必须要指定，因为需要从另一个视频文件复制视频帧，这些属性可以通过 VideoCapture 类的 get() 函数得到。

2.1.5　捕获摄像头的帧

VideoCapture 类可以获得摄像头的帧流。但对摄像头而言，通常不是用视频的文件名来构造 VideoCapture 类，而是需要传递摄像头的设备索引（device index）。下面的例子会捕获摄像头 10 秒的视频信息，并将其写入一个 AVI 文件中：

```
import cv2

cameraCapture = cv2.VideoCapture(0)
fps = 30 # an assumption
size = (int(cameraCapture.get(cv2.CAP_PROP_FRAME_WIDTH)),
        int(cameraCapture.get(cv2.CAP_PROP_FRAME_HEIGHT)))
videoWriter = cv2.VideoWriter(
    'MyOutputVid.avi', cv2.VideoWriter_fourcc('I','4','2','0'),
     fps, size)

success, frame = cameraCapture.read()
numFramesRemaining = 10 * fps - 1
while success and numFramesRemaining > 0:
    videoWriter.write(frame)
    success, frame = cameraCapture.read()
    numFramesRemaining -= 1
cameraCapture.release()
```

然而，VideoCapture 类的 get() 方法不能返回摄像头帧速率的准确值，它总是返回 0。http://docs.opencv.org/modules/highgui/doc/reading_and_writing_images_and_video.html 提供的官方文档写道：

"当 VideoCapture 类所使用的终端不支持所查询的这个属性，则会返回 0。"

这种情况最常见于驱动程序仅支持基本功能的系统。

为了针对摄像头创建合适的 VideoWriter 类，要么对帧速率做出假设（就像上面的代码那样），要么使用计时器来测量。后一种方法更好一些，本章后面将会介绍。

摄像头的数量和顺序由系统决定。但 OpenCV 没有提供任何查询摄像头数量和属性的方法。如果使用无效索引构造了 VideoCapture 类，就不会得到帧，VideoCapture 的 read() 函数会返回（false，None）。为了不让 read() 函数从没有正确打开的 VideoCapture 类中获取数据，可在执行该函数之后使用 VideoCapture.isOpened 方法做一个判断，该方法返回一个 Boolean 值。

当需要同步一组摄像头或一个多头（multihead）摄像头（例如立体摄像头或 Kinect）时，read() 方法就不再适合了，可用 grab() 和 retrive() 方法代替它。对于一组摄像头，可以使用以下代码：

```
success0 = cameraCapture0.grab()
success1 = cameraCapture1.grab()
if success0 and success1:
    frame0 = cameraCapture0.retrieve()
    frame1 = cameraCapture1.retrieve()
```

2.1.6 在窗口显示图像

显示图像是 OpenCV 最基本的操作之一，imshow() 函数可以实现该操作。如果使用过其他 GUI 框架背景，就会很自然地调用 imshow() 来显示一幅图像。但这个观点并不完全正确，因为图像确实会显示出来，但随即会消失。下面的代码可保证显示视频时窗口上的帧可以一直进行更新。以下几行简单的代码可以显示一幅图像：

```
import cv2
import numpy as np

img = cv2.imread('my-image.png')
cv2.imshow('my image', img)
cv2.waitKey()
cv2.destroyAllWindows()
```

imshow() 函数有两个参数：显示图像的帧名称以及要显示的图像本身。下一小节中介绍在窗口中显示帧时，会详细讲解 waitKey() 函数。

调用 destroyAllWindows() 函数可以释放由 OpenCV 创建的所有窗口。

2.1.7　在窗口显示摄像头帧

OpenCV 的 namedWindow()、imshow() 和 DestroyWindow() 函数允许指定窗口名来创建、显示和销毁（destroy）窗口。此外，任意窗口下都可以通过 waitKey() 函数来获取键盘输入，通过 setMouseCallback() 函数来获取鼠标输入。以下代码可以实时显示摄像头帧。

```
import cv2

clicked = False
def onMouse(event, x, y, flags, param):
    global clicked
    if event == cv2.EVENT_LBUTTONUP:
        clicked = True

cameraCapture = cv2.VideoCapture(0)
cv2.namedWindow('MyWindow')
cv2.setMouseCallback('MyWindow', onMouse)

print 'Showing camera feed. Click window or press any key to
    stop.'
success, frame = cameraCapture.read()
while success and cv2.waitKey(1) == -1 and not clicked:
    cv2.imshow('MyWindow', frame)
    success, frame = cameraCapture.read()

cv2.destroyWindow('MyWindow')
cameraCapture.release()
```

waitKey() 的参数为等待键盘触发的时间，单位为毫秒，其返回值是 –1（表示没有键被按下）或 ASCII 码，如 27 表示按下 Esc 键。ASCII 码列表可以在 http://www.asciitable.com/ 查阅。另外，Python 提供了一个标准函数 ord()，该函数可以将字符转换为 ASCII 码。例如，输入 ord('a') 会返回 97。

> **提示：** 在一些系统中，waitKey() 的返回值可能比 ASCII 码的值更大（在 Linux 系统中，如果 OpenCV 使用 GTK 作为后端的 GUI 库，就会出现一个众所周知的 bug）。在所有的系统中，可以通过读取返回值的最后一个字节来保证只提取 ASCII 码，具体代码如下：
>
> ```
> keycode = cv2.waitKey(1)
> if keycode != -1:
>     keycode &= 0xFF
> ```

OpenCV 的窗口函数和 waitKey() 函数相互依赖。OpenCV 的窗口只有在调用 waitKey() 函数时才会更新，waitKey() 函数只有在 OpenCV 窗口成为活动窗口时，才能捕获输入信息。鼠标回调函数 setMouseCallback() 有五个参数，如前面的示例代码所示。param 为可选参数，它是setMouseCallback()函数的第三个参数，默认情况下，该参数是0。回调事件参数可以取如下的值，它们分别对应不同的鼠标事件。

❏ cv2.EVENT_MOUSEMOVE：该事件对应鼠标移动

❏ cv2.EVENT_LBUTTONDOWN：该事件对应鼠标左键按下

❏ cv2.EVENT_RBUTTONDOWN：该事件对应鼠标右键按下

❏ cv2.EVENT_MBUTTONDOWN：该事件对应鼠标中间键按下

❏ cv2.EVENT_LBUTTONUP：该事件对应鼠标左键松开

❏ cv2.EVENT_RBUTTONUP：该事件对应鼠标右键松开

❏ cv2.EVENT_MBUTTONUP：此事件对应鼠标中间键松开

❏ cv2.EVENT_LBUTTONDBLCLK：该事件对应双击鼠标左键

❏ cv2.EVENT_RBUTTONDBLCLK：该事件对应双击鼠标右键

❏ cv2.EVENT_MBUTTONDBLCLK：该事件对应双击鼠标中间键

鼠标回调的标志参数可能是以下事件的按位组合：

❏ cv2.EVENT_FLAG_LBUTTON：该事件对应按下鼠标左键

❏ cv2.EVENT_FLAG_RBUTTON：该事件对应按下鼠标右键

❏ cv2.EVENT_FLAG_MBUTTON：该事件对应按下鼠标中间键

❏ cv2.EVENT_FLAG_CTRLKEY：该事件对应按下 Ctrl 键

❏ cv2.EVENT_FLAG_SHIFTKEY：该事件对应按下 Shift 键

❏ cv2.EVENT_FLAG_ALTKEY：该事件对应按下 Alt 键

然而，OpenCV 不提供任何处理窗口事件的方法。例如，当单击窗口的关闭按钮时，并不能关闭应用程序。由于 OpenCV 有限的事件处理能力和 GUI 处理能力，许多开发人员更喜欢将 OpenCV 集成到其他应用程序框架中。本章后面设计了一个抽象层，它有助于将 OpenCV 集成到任意应用程序框架中。

2.2 Cameo 项目（人脸跟踪和图像处理）

OpenCV 通常可以通过速成资料（cookbook）来学习，这些资料涵盖很多算法但却不会涉及高级应用开发。由于 OpenCV 的应用如此广泛，从一定程度而言，通过速成资料来学习 OpenCV 也是情理之中的事情。修改照片/视频、游戏的运动控制、人工智能机器人甚至心理学实验记录参与者的眼球运动都会用到 OpenCV。针对这些不同的应用场景，如何才能学到真正解决这些问题的方法？

下面会首先创建一个抽象层，然后通过一个应用来构建学习 OpenCV 的框架，但每一步都会设计该应用的一个组件（component），以使应用具有扩展性和重用性。

为了开发人脸跟踪和图像处理的交互式应用，需要实时获取摄像头的输入。该类应用覆盖了 OpenCV 大部分的功能，并且要求这些功能具有高效性、有效性，这是一个很有挑战性的问题。

具体而言，该应用将实时进行脸部合并（facial merging），即对给定的两个摄像头的输入流（或选择性输入预先录制的视频），应用要对两个输入流的人脸进行叠加。为了使混合的场景看起来具有统一的感觉，可采用滤波器和扭曲（distortion）技术。用户会有一种融入现场表演的感受，产生进入另一个场景并扮演人物角色的感觉。这种用户体验在游乐园（如迪士尼乐园）很流行。

在这样的应用中，如果有帧率低、不精确跟踪等缺陷，用户会立即感受得到。为了达到最好的效果，可以尝试采用传统成像和深度成像的方法。

这个应用程序名叫 Cameo，Cameo 像电影中的一个小配角。

2.3　Cameo——面向对象的设计

Python 的应用程序可用纯粹的面向过程语言来实现，像前面讨论的小应用程序（如基本 I/O 的脚本）通常会这样做。不过为了提高模块化水平和扩展性，下面将采用面向对象的方式实现。

通过前面介绍的 OpenCV I/O 功能可以知道，所有图像其实都是相似的，尽管图像的来源或去向不同。无论是从哪里获得的图像流，或者要将其输出到哪里，都可以将相同逻辑应用到图像流中的每个帧中。在应用中，将 I/O 代码与应用程序代码分离会变得特别方便，例如 Cameo 会使用多个 I/O 流。

可创建 CaptureManager 类和 WindowManager 类作为高级的 I/O 流接口。在应用程序的代码中可以使用 CaptureManager 来读取新的帧，并能将帧分派到一个或多个输出中，这些输出包括静止的图像文件、视频文件以及窗口（可以通过 WindowManager 类来实现）。WindowManager 类使应用程序代码能以面向对象的形式处理窗口和事件。

CaptureManager 和 WindowManager 都具有可扩展性，因此，实现时可以不依赖 OpenCV 的 I/O。

2.3.1　使用 managers. CaptureManager 提取视频流

无论该图像流来自视频文件还是摄像头，OpenCV 都可以获取、显示和记录图像流，但是每种情况都有一些需要特殊考虑的地方。CaptureManager 类对一些差异进行了抽象，并提供了更高级的接口从获取流中分配图像，再将图像分到一个或多个输出中（如图像文件、视频文件或窗口）。

在 VideoCapture 类中初始化 CaptureManager 类，在应用程序主循环的每一次迭代中通常应调用 CaptureManager 类的 enterFrame() 和 exitFrame() 函数。在调用 enterFrame() 和 exitFrame() 函数之间，应用程序可能会设定通道属性并获取帧属性。通道属性的初始值是 0，只有在多头（multihead）摄像头的情况下，通道属性的初始值非 0。帧属性是当调用 enterFrame() 函数时与当前通道状态对应的图像。

可能会经常调用 CaptureManager 类的 writeImage()、startWritingVideo() 和 stopWriting-Video() 函数。在调用 existFrame() 函数之前，会延迟写入文件。并且，在调用 existFrame() 函数的过程中，帧属性可能会在窗口中显示，这取决于应用程序代码是将 WindowManager 类作为 CaptureManager 的构造函数参数，还是设置 previewWindowManager 属性。

如果应用程序代码处理了帧属性，那么在记录文件和窗口中会有所体现。Capture-Manager 类有一个称为 shouldMirrorPreview 的构造函数参数和属性，如果想要帧在窗口中镜像（水平翻转），但不记录在文件中，可将 shouldMirrorPreview 设置为 True。通常，当面对摄像头的时候，用户喜欢摄像头返回镜像图像。

前面介绍过 VideoWriter 类需要帧速率，但 OpenCV 不能为摄像头提供准确的帧速率。解决这个问题的方法是通过帧计数器和 Python 标准的 time.time() 函数来估计帧速率，但这些方法都有问题。由于帧速率不稳定以及 time.time() 函数需要依赖系统的实现，有些时候，估计精度可能会很差。但是，如果在未知的硬件平台上运行应用程序，这样估计的帧速率会比随意假定一个摄像头的帧速率效果要好。

创建一个名为 managers.py 的文件，该文件包含了 CaptureManager 的实现，这个实现的结果很长。所以，可以将结果分成几段来看。首先，按下面的方式增加要导入（import）的包、构造函数和属性值：

```
import cv2
import numpy
import time

class CaptureManager(object):


    def __init__(self, capture, previewWindowManager = None,
                 shouldMirrorPreview = False):


        self.previewWindowManager = previewWindowManager
        self.shouldMirrorPreview = shouldMirrorPreview


        self._capture = capture
        self._channel = 0
        self._enteredFrame = False
```

```
    self._frame = None
    self._imageFilename = None
    self._videoFilename = None
    self._videoEncoding = None
    self._videoWriter = None

    self._startTime = None
    self._framesElapsed = long(0)
    self._fpsEstimate = None

@property
def channel(self):
    return self._channel

@channel.setter
def channel(self, value):
    if self._channel != value:
        self._channel = value
        self._frame = None

@property
def frame(self):
    if self._enteredFrame and self._frame is None:
        _, self._frame = self._capture.retrieve()
    return self._frame

@property
def isWritingImage (self):

    return self._imageFilename is not None

@property
def isWritingVideo(self):
    return self._videoFilename is not None
```

注意大多数成员（member）变量为非公有变量，这类变量名前会加一个下划线进行标识，比如 self._enteredFrame。这些非公有变量与当前帧的状态以及文件写入操作有关。前面已经说过，应用程序代码只需要配置几个选项就可以了，这些选项会用作构造函数的参数、设置公有属性（如摄像头通道、窗口管理器以及对摄像头预览的镜像选项）。

本书假定读者对 Python 有些熟悉，但是，如果不知道 @ 符号的作用（例如，@property），可以查阅 Python 关于 decorators 的文档，python 可让一个函数绑定 (wrapper) 另一个函数，在应用程序中常用来自定义某些行为（读者可查阅 https://docs.python.org/2/reference/compound_stmts.html#grammar-token-decorator）。

✎ **注意：** Python没有私有成员变量的概念，通常在变量前面加单／双下划线（_）来表示私有变量。通常在Python中，以单下划线开始的成员变量称为保护变量（即只有类对象和子类对象能访问这些变量），而以双下划线开始的变量称为私有成员变量（即只有类对象自己能访问，子类对象不能访问这个变量）。

下面继续介绍程序的实现，在managers.py中添加enterFrame()和exitFrame()函数：

```python
def enterFrame(self):
    """Capture the next frame, if any."""

    # But first, check that any previous frame was exited.
    assert not self._enteredFrame, \
        'previous enterFrame() had no matching exitFrame()'

    if self._capture is not None:
        self._enteredFrame = self._capture.grab()

def exitFrame (self):
    """Draw to the window. Write to files. Release the
        frame."""

    # Check whether any grabbed frame is retrievable.
    # The getter may retrieve and cache the frame.
    if self.frame is None:
        self._enteredFrame = False
        return

    # Update the FPS estimate and related variables.
    if self._framesElapsed == 0:
        self._startTime = time.time()
    else:
        timeElapsed = time.time() - self._startTime
    self._fpsEstimate =  self._framesElapsed / timeElapsed
self._framesElapsed += 1

# Draw to the window, if any.
if self.previewWindowManager is not None:
    if self.shouldMirrorPreview:
        mirroredFrame = numpy.fliplr(self._frame).copy()
        self.previewWindowManager.show(mirroredFrame)
    else:
        self.previewWindowManager.show(self._frame)

# Write to the image file, if any.
if self.isWritingImage:
    cv2.imwrite(self._imageFilename, self._frame)
    self._imageFilename = None

# Write to the video file, if any.
```

```
        self._writeVideoFrame()

        # Release the frame.
        self._frame = None
        self._enteredFrame = False
```

注意，enterFrame() 的实现只能（同步）获取一帧，而且会推迟从一个通道的获取，以便随后能从变量 frame 中读取。exitFrame() 函数可以从当前通道获取图像、估计帧速率、通过窗口管理器（如果有的话）显示图像，执行暂停的请求，从而向文件中写入图像。

还有一些其他方法可用来写入文件，下面给出 managers.py 中其他写入文件的方法：

```
def writeImage(self, filename):
    """Write the next exited frame to an image file."""
    self._imageFilename = filename

def startWritingVideo(
        self, filename,
        encoding = cv2.VideoWriter_fourcc('I','4','2','0')):
    """Start writing exited frames to a video file."""
    self._videoFilename = filename
    self._videoEncoding = encoding

def stopWritingVideo (self):
        """Stop writing exited frames to a video file."""
        self._videoFilename = None
        self._videoEncoding = None
        self._videoWriter = None


def _writeVideoFrame(self):

        if not self.isWritingVideo:
            return

        if self._videoWriter is None:
            fps = self._capture.get(cv2.CAP_PROP_FPS)
            if fps == 0.0:
                # The capture's FPS is unknown so use an estimate.
                if self._framesElapsed < 20:
                    # Wait until more frames elapse so that the
                    # estimate is more stable.
                    return
                else:
                    fps = self._fpsEstimate
            size = (int(self._capture.get(
                    cv2.CAP_PROP_FRAME_WIDTH)),
                int(self._capture.get(
                    cv2.CAP_PROP_FRAME_HEIGHT)))
```

```
            self._videoWriter = cv2.VideoWriter(
                self._videoFilename, self._videoEncoding,
                fps, size)

        self._videoWriter.write(self._frame)
```

writeImage()、startWritingVideo() 和 stopWritingVideo() 是公有函数，它们简单记录了文件写入操作的参数，然而实际的写入操作会推迟到下一次调用 exitFrame() 函数。非公有函数 _writeVideoFrame() 可以创建或向视频文件追加内容，具体的实现在前面的脚本中已经介绍过。（参见 2.1.4 节）。但是，在帧速率未知的情况下，通常在开始获取帧的时候会跳过几个帧，以得到估计帧速率的时间。

虽然当前可通过 VideoCapture 来实现 CaptureManager，但也有其他不使用 OpenCV 的实现方法。例如，可以实例化一个与 socket 连接有关的子类，这样 socket 的字节流可以被解析为图像流。也可以用支持不同硬件的第三方摄像头库来定义子类，而不用 OpenCV 提供的库来定义。然而，对 Cameo 而言，当前的实现方法已经够用了。

2.3.2　使用 managers.WindowManager 抽象窗口和键盘

OpenCV 提供了创建和销毁窗口、显示图像和处理事件的函数，这些函数不是窗口类的方法，只需要窗口名作为参数。由于这个接口不是面向对象的，所以与 OpenCV 通常的风格不一致，此外，也不太可能兼容其他窗口或事件的处理接口，用户最终要使用这些接口，而不再使用 OpenCV 的接口。

由于面向对象和适应性的缘故，会利用 createWindow()、destroyWindow()、show() 和 processEvents() 函数将该功能添加到 Windowmanager 类中。WindowManager 类有一个函数对象 keypressCallback，processEvents() 函数会调用该函数，用来处理任意按键。keypressCallback 对象必须带一个参数（比如 ASCII 码）。

在 managers.py 中添加 Windowmanager 的实现代码如下所示：

```
class WindowManager(object):


    def __init__(self, windowName, keypressCallback = None):
        self.keypressCallback = keypressCallback

        self._windowName = windowName
        self._isWindowCreated = False


    @property
    def isWindowCreated(self):
        return self._isWindowCreated
```

```
    def createWindow (self):
        cv2.namedWindow(self._windowName)
        self._isWindowCreated = True

def show(self, frame):
    cv2.imshow(self._windowName, frame)

def destroyWindow (self):
    cv2.destroyWindow(self._windowName)
    self._isWindowCreated = False

def processEvents (self):
    keycode = cv2.waitKey(1)
    if self.keypressCallback is not None and keycode != -1:
        # Discard any non-ASCII info encoded by GTK.
        keycode &= 0xFF
        self.keypressCallback(keycode)
```

当前的实现仅仅支持键盘事件，这对于 Cameo 足够了，若要支持鼠标事件可修改 WindowManager。例如，可以扩展类的接口使其包括 mouseCallback 属性（以及一个可选的构造函数参数），而其他属性保持不变。对于其他非 OpenCV 的事件框架，可以像添加 callback 属性一样支持其他事件类型。

附录 A 给出了 WindowManager 的子类，这些子类是通过 Pygame（而不是通过 OpenCV）的窗口处理和事件框架功能实现的。正确处理退出事件，使得 WindowManager 基类的实现有所提高，例如，用户单击窗口的关闭按钮就可以实现退出。事实上，Pygame 也可以处理许多其他的事件类型。

2.3.3　cameo.Cameo 的强大实现

Cameo 类提供两种方法启动应用程序：run() 和 onkeypress()。在初始化时，Cameo 类会把 onkeypress() 作为回调函数创建 WindowManager 类，而 CaptureManager 类会使用摄像头和 WindowManager 类。当调用 run() 函数时，应用程序会执行主循环处理帧和事件，应用程序会调用 onkeypress() 函数处理事件。按空格键可获取截图信息，按 tab 键可启动 / 停止截屏（一个视频记录），按 Esc 键可退出应用程序。

在 managers.py 所在的目录中，创建名为 cameo.py 的文件，可以将以下 Cameo 的代码放到这个文件中：

```
import cv2
from managers import WindowManager, CaptureManager

class Cameo(object):
```

```python
    def __init__(self):
        self._windowManager = WindowManager('Cameo',
                                            self.onKeypress)
        self._captureManager = CaptureManager(
            cv2.VideoCapture(0), self._windowManager, True)

    def run(self):
        """Run the main loop."""
        self._windowManager.createWindow()
        while self._windowManager.isWindowCreated:
            self._captureManager.enterFrame()
            frame = self._captureManager.frame

            # TODO: Filter the frame (Chapter 3).

            self._captureManager.exitFrame()
            self._windowManager.processEvents()

    def onKeypress (self, keycode):
        """Handle a keypress.

        space  -> Take a screenshot.
        tab    -> Start/stop recording a screencast.
        escape -> Quit.

        """
        if keycode == 32: # space
            self._captureManager.writeImage('screenshot.png')
        elif keycode == 9: # tab
            if not self._captureManager.isWritingVideo:
                self._captureManager.startWritingVideo(
                    'screencast.avi')
            else:
                self._captureManager.stopWritingVideo()
        elif keycode == 27: # escape
            self._windowManager.destroyWindow()

if __name__=="__main__":
    Cameo().run()
```

运行该程序，注意摄像头的图像会被镜像，而截图和截屏得到的图像没有镜像。这是因为在初始化 CaptureManager 类时，将 shouldMirrorPreview 参数设成了 True。

到目前为止，除了对帧做镜像处理外，不会有其他操作。在第 3 章会增加更多有趣的效果。

2.4 总结

现在，应该已经有了一个能显示摄像头帧、监听键盘输入以及记录截图或截屏的应用程序。接下来（第 3 章）会在帧的开始与结束之间插入图像滤波代码，从而扩展应用程序。另外，除了 OpenCV 支持的摄像头驱动程序或应用程序框架以外，也准备集成其他的摄像头驱动程序或应用程序框架。

通过 NumPy 数组，我们也知道了图像处理的知识，并理解了图像处理的原理，这些知识为理解下一章的图像滤波打下了坚实的基础。

第 3 章

使用 OpenCV 3 处理图像

接下来介绍的内容都与图像处理有关，这时需要修改图像，比如要使用具有艺术性的滤镜、外插（extrapolate）某些部分、分割、粘贴或其他需要的操作。本章会介绍一些修改图像的技术，在学习完本章之后，读者肯定能胜任诸如检测图像中的肤色、锐化一张图、标记物体的轮廓以及用线段检测器检测人行横道等任务。

3.1　不同色彩空间的转换

OpenCV 中有数百种关于在不同色彩空间之间转换的方法。当前，在计算机视觉中有三种常用的色彩空间：灰度、BGR 以及 HSV（Hue，Saturation，Value）。

- ❑ 灰度色彩空间是通过去除彩色信息来将其转换成灰阶，灰度色彩空间对中间处理特别有效，比如人脸检测。
- ❑ BGR，即蓝 – 绿 – 红色彩空间，每一个像素点都由一个三元数组来表示，分别代表蓝、绿、红三种颜色。网页开发者可能熟悉另一个与之相似的颜色空间：RGB，它们只是在颜色的顺序上不同。
- ❑ HSV，H（Hue）是色调，S（Saturation）是饱和度，V（Value）表示黑暗的程度（或光谱另一端的明亮程度）。

BGR 的简短说明

当第一次处理 BGR 色彩空间的时候，可以不要其中的一个色彩分量，比如像素值 [0

255 255]（没有蓝色，绿色分量取最大值，红色分量取最大值）表示黄色。如果读者有艺术背景，会发现绿色和红色混合产生混浊的褐色，这是因为计算所使用的颜色模型具有可加性并且处理的是光照，而绘画不是这样（它遵从减色模型（subtractive color model））。计算机使用显示器发光来做颜色的媒介，因此运行在计算机上的软件所使用的色彩模型是加色模型。

3.2　傅里叶变换

在 OpenCV 中，对图像和视频的大多数处理都或多或少会涉及傅里叶变换的概念。Joseph Fourier（约瑟夫·傅里叶）是一位 18 世纪的法国数学家，他发现并推广了很多数学概念，主要研究热学规律，在数学上，他认为一切都可以用波形来描述。具体而言，他观察到所有的波形都可以由一系列简单且频率不同的正弦曲线叠加得到。

也就是说，人们所看到的波形是由其他波形叠加得到的。这个概念对操作图像非常有帮助，因为这样我们可以区分图像里哪些区域的信号（比如图像像素）变化特别强，哪些区域的信号变化不那么强，从而可以任意地标记噪声区域、感兴趣区域、前景和背景等。原始图像由许多频率组成，人们能够分离这些频率来理解图像和提取感兴趣的数据。

 注意： 在 OpenCV 环境中，有许多实现了的算法让我们能够处理图像、理解图像中所包含的意义。这些算法在 NumPy 中也有实现，而且更容易使用。NumPy 有快速傅里叶变换（FFT）的包，它包含了 fft2() 函数，该函数可以计算一幅图像的离散傅里叶变换（DFT）。

下面通过傅里叶变换来介绍图像的幅度谱（magnitude spectrum）。图像的幅度谱是另一种图像，幅度谱图像呈现了原始图像在变化方面的一种表示：把一幅图像中最明亮的像素放到图像中央，然后逐渐变暗，在边缘上的像素最暗。这样可以发现图像中有多少亮的像素和暗的像素，以及它们分布的百分比。

傅里叶变换的概念是许多常见的图像处理操作的基础，比如边缘检测或线段和形状检测。

下面先介绍两个概念：高通滤波器和低通滤波器，上面提到的那些操作都是以这两个概念和傅里叶变换为基础。

3.2.1　高通滤波器

高通滤波器（HPF）是检测图像的某个区域，然后根据像素与周围像素的亮度差值来提升（boost）该像素的亮度的滤波器。

以如下的核（kernel）（译者注：滤波器矩阵）为例：

```
[[0, -0.25, 0],
 [-0.25, 1, -0.25],
 [0, -0.25, 0]]
```

 注意： 核是指一组权重的集合，它会应用在源图像的一个区域，并由此生成目标图像的一个像素。比如，大小为 7 的核意味着每 49（7×7）个源图像的像素会产生目标图像的一个像素。可把核看作一块覆盖在源图像上可移动的毛玻璃片，玻璃片覆盖区域的光线会按某种方式进行扩散混合后透过去。

在计算完中央像素与周围邻近像素的亮度差值之和以后，如果亮度变化很大，中央像素的亮度会增加（反之则不会）。换句话说，如果一个像素比它周围的像素更突出，就会提升它的亮度。

这在边缘检测上尤其有效，它会采用一种称为高频提升滤波器（high boost filter）的高通滤波器。

高通和低通滤波器都有一个称为半径（radius）的属性，它决定了多大面积的邻近像素参与滤波运算。

下面是一个高通滤波器的例子：

```python
import cv2
import numpy as np
from scipy import ndimage

kernel_3x3 = np.array([[-1, -1, -1],
                       [-1,  8, -1],
                       [-1, -1, -1]])

kernel_5x5 = np.array([[-1, -1, -1, -1, -1],
                       [-1,  1,  2,  1, -1],
                       [-1,  2,  4,  2, -1],
                       [-1,  1,  2,  1, -1],
                       [-1, -1, -1, -1, -1]])
```

注意： 这些滤波器中的所有值加起来为 0，在 3.4 节会解释其中的原因。

```python
img = cv2.imread("../images/color1_small.jpg", 0)

k3 = ndimage.convolve(img, kernel_3x3)
k5 = ndimage.convolve(img, kernel_5x5)

blurred = cv2.GaussianBlur(img, (11,11), 0)
g_hpf = img - blurred
```

```
cv2.imshow("3x3", k3)
cv2.imshow("5x5", k5)
cv2.imshow("g_hpf", g_hpf)
cv2.waitKey()
cv2.destroyAllWindows()
```

导入模块之后，我们定义一个 3×3 和一个 5×5 的核，然后将读入的图像转换为灰度格式。通常大多数的图像处理会用 NumPy 来完成，但是这里的情况比较特殊，因为需要用一个给定的核与图像进行"卷积"（convolve），但是 NumPy 碰巧只接受一维数组。

但并不是说不能用 NumPy 完成多维数组的卷积运算，只是有些复杂。而 ndimage（它是 SciPy 的一部分，SciPy 模块可按照第 1 章中的向导来安装）的 convolve() 函数可解决这个问题，该函数支持经典的 NumPy 数组，cv2 模块用这种数组来存储图像。

上面的代码用了两个自定义卷积核来实现两个高通滤波器。最后会用一种不同的方法来实现一个高通滤波器：通过对图像应用低通滤波器之后，与原始图像计算差值。读者会发现，实际上第三种方法得到的效果会最好。下面来详细介绍低通滤波器。

3.2.2　低通滤波器

高通滤波器是根据像素与邻近像素的亮度差值来提升该像素的亮度。低通滤波器（Low Pass Filter，LPF）则是在像素与周围像素的亮度差值小于一个特定值时，平滑该像素的亮度。它主要用于去噪和模糊化，比如说，高斯模糊是最常用的模糊滤波器（平滑滤波器）之一，它是一个削弱高频信号强度的低通滤波器。

3.3　创建模块

同 CaptureManager 类和 WindowsManager 类一样，滤波器需要在 Cameo 外也能被重用。所以需要把滤波器分割到各自的 Python 模块或者 Python 文件中。

在 cameo.py 的同一目录下创建一个 filters.py 文件，在 filters.py 文件中需要导入如下模块。

```
import cv2
import numpy
import utils
```

在同一目录下还要创建一个名为 utils.py 的文件，它应该导入如下模块。

```
import cv2
import numpy
import scipy.interpolate
```

在 filters.py 中添加一些滤波函数和类，而更通用的一些数学函数会放到 utils.py 中。

3.4 边缘检测

边缘在人类视觉和计算机视觉中均起着重要的作用。人类能够仅凭一张背景剪影或一个草图就识别出物体的类型和姿态。事实上，艺术强调边缘和姿态，它们通常传达了原型（archetype）的思想，比如 Rodin 的《思考者》和 Joe Shuster 的《超人》。软件也一样，它可以推理出边缘、姿态以及原型。稍后的章节会讨论这些推理。

OpenCV 提供了许多边缘检测滤波函数，包括 Laplacian()、Sobel() 以及 Scharr()。这些滤波函数都会将非边缘区域转为黑色，将边缘区域转为白色或其他饱和的颜色。但是，这些函数都很容易将噪声错误地识别为边缘。缓解这个问题的方法是在找到边缘之前对图像进行模糊处理。OpenCV 也提供了许多模糊滤波函数，包括 blur()（简单的算术平均）、medianBlur() 以及 GaussianBlur()。边缘检测滤波函数和模糊滤波函数的参数有很多，但总会有一个 ksize 参数，它是一个奇数，表示滤波核的宽和高（以像素为单位）。

这里使用 medianBlur() 作为模糊函数，它对去除数字化的视频噪声非常有效，特别是去除彩色图像的噪声；使用 Laplacian() 作为边缘检测函数，它会产生明显的边缘线条，灰度图像更是如此。在使用 medianBlur() 函数之后，将要使用 Laplacian() 函数之前，需要将图像从 BGR 色彩空间转为灰度色彩空间。

在得到 Laplacian() 函数的结果之后，需要将其转换成黑色边缘和白色背景的图像。然后将其归一化（使它的像素值在 0 到 1 之间），并乘以源图像以便能将边缘变黑。在 filters.py 中实现这个方法。

```python
def strokeEdges(src, dst, blurKsize = 7, edgeKsize = 5):
    if blurKsize >= 3:
        blurredSrc = cv2.medianBlur(src, blurKsize)
        graySrc = cv2.cvtColor(blurredSrc, cv2.COLOR_BGR2GRAY)
    else:
        graySrc = cv2.cvtColor(src, cv2.COLOR_BGR2GRAY)
    cv2.Laplacian(graySrc, cv2.CV_8U, graySrc, ksize = edgeKsize)
    normalizedInverseAlpha = (1.0 / 255) * (255 - graySrc)
    channels = cv2.split(src)
    for channel in channels:
        channel[:] = channel * normalizedInverseAlpha
    cv2.merge(channels, dst)
```

注意，核的大小可由 strokeEdges() 函数的参数来指定。blurKsize 参数会作为 medianBlur() 函数的 ksize 参数，edgeKsize 参数会作为 Laplacian() 函数的 ksize 参数。对于作者的摄像头，将 blurKsize 值设为 7，将 edgeKsize 值设为 5 会得到最好的效果。不幸的是，对于较大的 ksize(比如 7)，使用 medianBlur() 的代价很高。

> **提示：**如果你在使用 strokeEdges() 时遇到性能问题，可试着减小 blurKsize 的值。要关闭模糊效果，可以将 blurKsize 的值设为 3 以下。

3.5　用定制内核做卷积

OpenCV 预定义的许多滤波器（滤波函数）都会使用核。其实核是一组权重，它决定如何通过邻近像素点来计算新的像素点。核也称为卷积矩阵，它对一个区域的像素做调和（mix up）或卷积运算。通常基于核的滤波器（滤波函数）被称为卷积滤波器（滤波函数）。

OpenCV 提供了一个非常通用的 filter2D() 函数，它运用由用户指定的任意核或卷积矩阵。为了理解这个函数的使用方法，首先来了解卷积矩阵的格式。卷积矩阵是一个二维数组，有奇数行、奇数列，中心的元素对应于感兴趣的像素，其他的元素对应于这个像素周围的邻近像素，每个元素都有一个整数或浮点数的值，这些值就是应用在像素值上的权重。比如：

```
kernel = numpy.array([[-1, -1, -1],
                      [-1,  9, -1],
                      [-1, -1, -1]])
```

上面示例中感兴趣的像素权重为 9，其邻近像素权重为 –1。对感兴趣的像素来说，新像素值是用当前像素值乘以 9，然后减去 8 个邻近像素值。如果感兴趣的像素已经与其邻近像素有一点差别，那么这个差别会增加。这样会让图像锐化，因为该像素的值与邻近像素值之间的差距拉大了。

接下来的例子在源图像和目标图像上分别使用卷积矩阵：

```
cv2.filter2D(src, -1, kernel, dst)
```

第二个参数指定了目标图像每个通道的位深度（比如，位深度 cv2.CV_8U 表示每个通道为 8 位），如果为负值（像这里一样），则表示目标图像和源图像有同样的位深度。

> **注意：**对彩色图像来说，filter2D() 会对每个通道都用同样的核。如果要对每个通道使用不同的核，就必须用 split() 函数和 merge() 函数。

接着使用这个简单的例子，向 filter.py 文件增加两个类，第一个类为 VConvolution-Filter，它表示一般的卷积滤波器；第二个子类为 SharpenFilter，它表示特定的锐化滤波器。通过编辑 filters.py 来实现这两个新类，具体代码如下：

```python
class VConvolutionFilter(object):
    """A filter that applies a convolution to V (or all of
        BGR)."""

    def __init__(self, kernel):
        self._kernel = kernel

    def apply(self, src, dst):
        """Apply the filter with a BGR or gray source/destination."""
        cv2.filter2D(src, -1, self._kernel, dst)

class SharpenFilter(VConvolutionFilter):
    """A sharpen filter with a 1-pixel radius."""

    def __init__(self):
        kernel = numpy.array([[-1, -1, -1],
                              [-1,  9, -1],
                              [-1, -1, -1]])
        VConvolutionFilter.__init__(self, kernel)
```

注意权重加起来为 1，如果不想改变图像的亮度就应该这样。如果稍稍修改一下锐化核，使它的权重加起来为 0，就会得到一个边缘检测核，把边缘转为白色，把非边缘区域转为黑色。比如可添加如下的边缘检测滤波器到 filters.py 中：

```python
class FindEdgesFilter(VConvolutionFilter):
    """An edge-finding filter with a 1-pixel radius."""

    def __init__(self):
        kernel = numpy.array([[-1, -1, -1],
                              [-1,  8, -1],
                              [-1, -1, -1]])
        VConvolutionFilter.__init__(self, kernel)
```

下面来构建一个模糊滤波器。为了达到模糊效果，通常权重和应该为 1，而且邻近像素的权重全为正。比如下面代码就实现了一个简单的邻近平均滤波器：

```python
class BlurFilter(VConvolutionFilter):
    """A blur filter with a 2-pixel radius."""

    def __init__(self):
        kernel = numpy.array([[0.04, 0.04, 0.04, 0.04, 0.04],
                              [0.04, 0.04, 0.04, 0.04, 0.04],
                              [0.04, 0.04, 0.04, 0.04, 0.04],
                              [0.04, 0.04, 0.04, 0.04, 0.04],
                              [0.04, 0.04, 0.04, 0.04, 0.04]])
        VConvolutionFilter.__init__(self, kernel)
```

锐化、边缘检测以及模糊等滤波器都使用了高度对称的核。但是有时不对称的核也会得到一些有趣的效果。下面介绍一种核，它同时具有模糊（有正的权重）和锐化（有负的权重）的作用。这会产生一种脊状（ridge）或者浮雕（embossed）的效果。下面的代码是这种核的具体实现，可把它加到 filters.py 文件中。

```python
class EmbossFilter(VConvolutionFilter):
    """An emboss filter with a 1-pixel radius."""

    def __init__(self):
        kernel = numpy.array([[-2, -1, 0],
                              [-1,  1, 1],
                              [ 0,  1, 2]])
        VConvolutionFilter.__init__(self, kernel)
```

这里定制了一系列非常基本的卷积滤波器，甚至比 OpenCV 里一些现成的滤波器还要基本。然而，稍稍做一点试验，就能够写出满足需要的核。

3.6　修改应用

现在滤波器有一些高级函数和类，很容易将它们用在 Cameo 项目所捕获的数据帧上。编辑 cameo.py，并将下面加粗的行加到该文件中：

```python
import cv2
import filters
from managers import WindowManager, CaptureManager

class Cameo(object):

    def __init__(self):
        self._windowManager = WindowManager('Cameo',
                                            self.onKeypress)
        self._captureManager = CaptureManager(
            cv2.VideoCapture(0), self._windowManager, True)

        self._curveFilter = filters.BGRPortraCurveFilter()

    def run(self):
        """Run the main loop."""
        self._windowManager.createWindow()
        while self._windowManager.isWindowCreated:
            self._captureManager.enterFrame()
            frame = self._captureManager.frame


            filters.strokeEdges(frame, frame)
            self._curveFilter.apply(frame, frame)

            self._captureManager.exitFrame()
```

```
        self._windowManager.processEvents()

   # ... The rest is the same as in Chapter 2.
```

这里采用两个效果：描绘边缘并模拟肖像胶卷色彩。可通过修改代码来使用需要的滤波器。

下面这幅图是 Cameo 的屏幕截图，它描绘了边缘，并模拟肖像胶卷色彩：

3.7 Canny 边缘检测

OpenCV 还提供了一个非常方便的 Canny 函数（以算法的发明者 Jhon F. Canny 命名），该算法非常流行，不仅是因为它的效果，还因为在 OpenCV 程序中实现时非常简单，因为一行代码就能实现：

```python
import cv2
import numpy as np

img = cv2.imread("../images/statue_small.jpg", 0)
cv2.imwrite("canny.jpg", cv2.Canny(img, 200, 300))
cv2.imshow("canny", cv2.imread("canny.jpg"))
cv2.waitKey()
cv2.destroyAllWindows()
```

所得结果非常容易识别出边缘：

Canny 边缘检测算法非常复杂，但也很有趣：它有 5 个步骤，即使用高斯滤波器对图像进行去噪、计算梯度、在边缘上使用非最大抑制（NMS）、在检测到的边缘上使用双（double）阈值去除假阳性（false positive），最后还会分析所有的边缘及其之间的连接，以保留真正的边缘并消除不明显的边缘。

3.8 轮廓检测

在计算机视觉中，轮廓检测是另一个比较重要的任务，不单是用来检测图像或者视频帧中物体的轮廓，而且还有其他操作与轮廓检测有关。这些操作有：计算多边形边界、形状逼近和计算感兴趣区域。这是与图像数据交互时的简单操作，因为 NumPy 中的矩形区域可以使用数组切片（slice）来定义。在介绍物体检测（包括人脸）和物体跟踪的概念时会大量使用这种技术。

我们先通过下面的例子逐步熟悉 API：

```python
import cv2
import numpy as np

img = np.zeros((200, 200), dtype=np.uint8)
img[50:150, 50:150] = 255

ret, thresh = cv2.threshold(img, 127, 255, 0)
image, contours, hierarchy = cv2.findContours(thresh,
    cv2.RETR_TREE, cv2.CHAIN_APPROX_SIMPLE)
color = cv2.cvtColor(img, cv2.COLOR_GRAY2BGR)
```

```
img = cv2.drawContours(color, contours, -1, (0,255,0), 2)
cv2.imshow("contours", color)
cv2.waitKey()
cv2.destroyAllWindows()
```

这段代码首先创建了一个 200×200 大小的黑色空白图像，接着在图像的中央放置一个白色方块，这里用到了 np 数组在切片上赋值的功能。

接下来对图像进行二值化操作，然后调用了 findContours() 函数。该函数有三个参数：输入图像、层次类型和轮廓逼近方法。它有几个方面特别有趣：

❏ 这个函数会修改输入图像，因此建议使用原始图像的一份拷贝（比如说，通过 img. copy() 来作为输入图像）。

❏ 由函数返回的层次树相当重要：cv2.RETR_TREE 参数会得到图像中轮廓的整体层次结构，以此来建立轮廓之间的"关系"。如果只想得到最外面的轮廓，可使用 cv2. RETR_EXTERNAL。这对消除包含在其他轮廓中的轮廓很有用（比如，在大多数情形下，不需要检测一个目标包含在另一个与之相同的目标里面）。

findContours() 函数有三个返回值：修改后的图像、图像的轮廓以及它们的层次。使用轮廓来画出图像的彩色版本（即把轮廓画成绿色），并显示出来。

所得的结果是一个边缘为绿色的白色方块。这个结果很简单，但能说明概念！下面介绍一个更有意义的例子。

3.9 边界框、最小矩形区域和最小闭圆的轮廓

找到一个正方形轮廓很简单，要找到不规则的、歪斜的以及旋转的形状可用 OpenCV 的 cv2.findContours 函数，它能得到最好的结果。下面来看一幅图像：

现实的应用会对目标的边界框、最小矩形面积、最小闭圆特别感兴趣。将 cv2. findContours 函数与少量的 OpenCV 的功能相结合就能非常容易地实现这些功能：

```
import cv2
import numpy as np

img = cv2.pyrDown(cv2.imread("hammer.jpg", cv2.IMREAD_UNCHANGED))

ret, thresh = cv2.threshold(cv2.cvtColor(img.copy(),
    cv2.COLOR_BGR2GRAY) , 127, 255, cv2.THRESH_BINARY)
image, contours, hier = cv2.findContours(thresh,
    cv2.RETR_EXTERNAL, cv2.CHAIN_APPROX_SIMPLE)

for c in contours:
  # find bounding box coordinates
  x,y,w,h = cv2.boundingRect(c)
  cv2.rectangle(img, (x,y), (x+w, y+h), (0, 255, 0), 2)

  # find minimum area
  rect = cv2.minAreaRect(c)
  # calculate coordinates of the minimum area rectangle
  box = cv2.boxPoints(rect)
  # normalize coordinates to integers
  box = np.int0(box)
  # draw contours
  cv2.drawContours(img, [box], 0, (0,0, 255), 3)

  # calculate center and radius of minimum enclosing circle
  (x,y),radius = cv2.minEnclosingCircle(c)
  # cast to integers
  center = (int(x),int(y))
  radius = int(radius)
  # draw the circle
  img = cv2.circle(img,center,radius,(0,255,0),2)

cv2.drawContours(img, contours, -1, (255, 0, 0), 1)
cv2.imshow("contours", img)
```

在导入模块之后，加载图像，然后在源图像的灰度图像上执行一个二值化操作。这样做之后，可在这个灰度图像上执行所有计算轮廓的操作，但在源图像上可利用色彩信息来画这些轮廓。

第一步，先计算出一个简单的边界框：

```
x,y,w,h = cv2.boundingRect(c)
```

这个操作非常简单，它将轮廓信息转换成 (x,y) 坐标，并加上矩形的高度和宽度。画出这个矩形也非常简单，用下面的代码就可以实现：

```
cv2.rectangle(img, (x,y), (x+w, y+h), (0, 255, 0), 2)
```

第二步会计算出包围目标的最小矩形区域：

```
rect = cv2.minAreaRect(c)
box = cv2.boxPoints(rect)
  box = np.int0(box)
```

这里用到一种非常有趣的机制：OpenCV 没有函数能直接从轮廓信息中计算出最小矩形顶点的坐标。所以需要计算出最小矩形区域，然后计算这个矩形的顶点。注意计算出来的顶点坐标是浮点型，但是所得像素的坐标值是整数（不能获取像素的一部分），所以需要做一个转换。然后画出这个矩形，这可由 cv2.drawContours 函数来实现：

```
cv2.drawContours(img, [box], 0, (0,0, 255), 3)
```

首先，该函数与所有绘图函数一样，它会修改源图像。其次，该函数的第二个参数接收一个保存着轮廓的数组，从而可以在一次操作中绘制一系列的轮廓。因此如果只有一组点来表示多边形轮廓，就需要把这组点放到一个数组里，就像前面例子里处理方框（box）那样。这个函数的第三个参数是要绘制的轮廓数组的索引：−1 表示绘制所有的轮廓，否则只会绘制轮廓数组里指定的轮廓。

大多数绘图函数把绘图的颜色和密度（thickness）放在最后两个参数里。

最后检查的边界轮廓为最小闭圆。

```
(x,y),radius = cv2.minEnclosingCircle(c)
center = (int(x),int(y))
radius = int(radius)
img = cv2.circle(img,center,radius,(0,255,0),2)
```

cv2.minEnclosingCircle 函数会返回一个二元组，第一个元素为圆心的坐标组成的元组，第二个元素为圆的半径值。把这些值转为整数后就能很容易地绘出圆来。

最终显示在源图像上的结果如下所示：

3.10 凸轮廓与 Douglas-Peucker 算法

大多数处理轮廓的时候，物体的形状（包括凸形状）都是变化多样的。凸形状内部的任意两点的连线都在该形状里面。

cv2.approxPloyDP 是一个 OpenCV 函数，它用来计算近似的多边形框。该函数有三个参数：

❑ 第一个参数为"轮廓"

❑ 第二个参数为"ε 值"，它表示源轮廓与近似多边形的最大差值（这个值越小，近似多边形与源轮廓越接近）

❑ 第三个参数为"布尔标记"，它表示这个多边形是否闭合

ε 值对获取有用的轮廓非常重要，所以需要理解它表示什么意思。ε 是为所得到的近似多边形周长与源轮廓周长之间的最大差值，这个差值越小，近似多边形与源轮廓就越相似。

为什么已经有了一个精确表示的轮廓却还需要得到一个近似多边形呢？这是因为一个多边形由一组直线构成，能够在一个区域里定义多边形，以便于之后进行操作与处理，这在许多计算机视觉任务中非常重要。

在了解了 ε 值是什么之后，需要得到轮廓的周长信息来作为参考值。这可通过OpenCV 的 cv2.arcLength 函数来完成：

```
epsilon = 0.01 * cv2.arcLength(cnt, True)
approx = cv2.approxPolyDP(cnt, epsilon, True)
```

可通过 OpenCV 来有效地计算一个近似多边形，多边形周长与源轮廓周长之比就为 ε。

为了计算凸形状，需要用 OpenCV 的 cv2.convexHull 函数来获取处理过的轮廓信息，可通过下面的一行代码来完成：

```
hull = cv2.convexHull(cnt)
```

为了理解源轮廓、近似多边形和凸包的不同之处，可把它们放在一幅图像里进行观察。为了简化起见，把轮廓放置在黑色图像上，这样就看不见源目标，但却看得见它的轮廓：

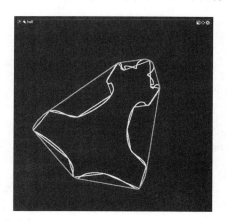

如上图所示，凸包包围着整个物体，最里面的为近似多边形，在这两者之间的是源轮廓，它主要由弧线构成。

3.11　直线和圆检测

检测边缘和轮廓不仅重要，还经常用到，它们也是构成其他复杂操作的基础。直线和形状检测与边缘和轮廓检测有密切的关系，下面介绍 OpenCV 是怎样检测边缘和轮廓的。

Hough 变换是直线和形状检测背后的理论基础，它由 Richard Duda 和 Peter Hart 发明，他们是对 Paul Hough 在 20 世纪 60 年代早期所做工作的扩展。

下面介绍 OpenCV 中 Hough 变换的 API 函数。

3.11.1　直线检测

首先介绍直线检测，这可通过 HoughLines 和 HoughLinesP 函数来完成，它们仅有的差别是：第一个函数使用标准的 Hough 变换，第二个函数使用概率 Hough 变换（因此名称里有一个 P）。

HoughLinesP 函数之所以称为概率版本的 Hough 变换是因为它只通过分析点的子集并估计这些点都属于一条直线的概率，这是标准 Hough 变换的优化版本。该函数的计算代价会少一些，执行会变得更快。

下面介绍一个简单的例子：

```
import cv2
import numpy as np

img = cv2.imread('lines.jpg')
gray = cv2.cvtColor(img,cv2.COLOR_BGR2GRAY)
edges = cv2.Canny(gray,50,120)
minLineLength = 20
maxLineGap = 5
lines =
    cv2.HoughLinesP(edges,1,np.pi/180,100,minLineLength,
        maxLineGap)
for x1,y1,x2,y2 in lines[0]:
  cv2.line(img,(x1,y1),(x2,y2),(0,255,0),2)

cv2.imshow("edges", edges)
cv2.imshow("lines", img)
cv2.waitKey()
cv2.destroyAllWindows()
```

除了 HoughLines 函数调用是这段代码的关键点以外，设置最小直线长度（更短的直线会被消除）和最大线段间隙也很重要，一条线段的间隙长度大于这个值会被视为是两条分开的线段。

注意，HoughLines 函数会接收一个由 Canny 边缘检测滤波器处理过的单通道二值图像。不一定需要 Canny 滤波器，但是一个经过去噪并只有边缘的图像当作 Hough 变换的输入会很不错，因此使用 Canny 滤波器是一个普遍的惯例。

下面解释 HoughLinesP 的几个参数：

❑ 需要处理的图像。

❑ 线段的几何表示 rho 和 theta，一般分别取 1 和 np.pi/180。

❑ 阈值。低于该阈值的直线会被忽略。Hough 变换可以理解为投票箱和投票数之间的关系，每个投票箱代表一个直线，投票数达到阈值的直线会被保留，其他的会被删除。

❑ 前面已经介绍过的 minLineLength 和 maxLineGap。

3.11.2　圆检测

OpenCV 的 HoughCircles 函数可用来检测圆，它与使用 HoughLines 函数类似。像用来决定删除或保留直线的两个参数 minLineLength 和 maxLineGap 一样，HoughCircles 有一个圆心间的最小距离和圆的最小及最大半径。下面是一个使用 HoughCircles 函数的例子：

```
import cv2
import numpy as np

planets = cv2.imread('planet_glow.jpg')
gray_img = cv2.cvtColor(planets, cv2.COLOR_BGR2GRAY)
img = cv2.medianBlur(gray_img, 5)
cimg = cv2.cvtColor(img,cv2.COLOR_GRAY2BGR)

circles = cv2.HoughCircles(img,cv2.HOUGH_GRADIENT,1,120,
                            param1=100,param2=30,minRadius=0,
                            maxRadius=0)

circles = np.uint16(np.around(circles))

for i in circles[0,:]:
    # draw the outer circle
    cv2.circle(planets,(i[0],i[1]),i[2],(0,255,0),2)
    # draw the center of the circle
    cv2.circle(planets,(i[0],i[1]),2,(0,0,255),3)

cv2.imwrite("planets_circles.jpg", planets)
cv2.imshow("HoughCirlces", planets)
cv2.waitKey()
cv2.destroyAllWindows()
```

这段代码会得到如下结果：

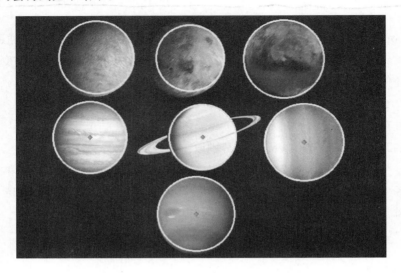

3.12 检测其他形状

Hough 变换能检测的形状仅限于圆，但是前面曾提到过检测任何种形状的方法，特别是用 approxPloyDP 函数来检测。该函数提供多边形的近似，所以如果你的图像有多边形，再结合 cv2.findContours 函数和 cv2.approxPloyDP 函数，就可以相当准确地检测出来。

3.13 总结

本章介绍了色彩空间、傅里叶变换和多种由 OpenCV 提供的处理图像的滤波器。还介绍了检测边缘、直线、圆和一些普通形状。另外还介绍如何来寻找轮廓，并由此得到关于图像中所包含的目标信息。这些概念都是后续章节的基础。

第 4 章 *Chapter 4*

深度估计与分割

本章将向你展示怎样使用深度摄像头的数据来识别前景区域和背景区域，这样就可以分别对前景和背景做不同的处理。首先你要有一个深度摄像头，比如微软的 Kinect，然后要构建 OpenCV，使其支持深度摄像头。构建部分的介绍请参考第 1 章。

本章主要涉及两大主题：深度估计和分割。本书会使用两种不同的方法来探索深度估计。第一种方法是通过使用深度摄像头（本章第一部分研究的前提）来进行深度估计，比如使用微软的 Kinect；另一种是使用立体图像来进行深度估计，这只需要普通摄像头就行了。关于怎样构建 OpenCV 使其支持深度摄像头的介绍，请参考第 1 章。本章的第二部分是深度分割，这是一种方便我们从图像中提取前景物体的技术。

4.1 创建模块

Cameo.py 中捕获和处理深度摄像头数据的代码可以在其他地方重用，所以应该把这部分代码分离，放到一个新的模块中。在 Cameo.py 的同一目录中创建一个新的文件，命名为 depth.py，需要在文件中做如下的引用（import）声明：

```
import numpy
```

还需要修改以前的 rects.py 文件，这样就可将复制操作限制在一个矩形中的非矩形子区域。为了做这个修改，需要在 rects.py 文件中增加如下的声明：

```
import numpy
import utils
```

最后，新版本的应用程序会用到深度相关的一些功能，因此需要在Cameo.py文件中增加如下声明：

```
import depth
```

下面可进一步介绍与深度相关的内容。

4.2 捕获深度摄像头的帧

由第2章的内容可知：一个计算机可以有多个捕获视频的设备，每个设备又可以有多个通道。比如一个立体摄像头设备，每个通道都可能对应有不同的透镜（len）和传感器，而且每个通道也可能有不同类型的数据，比如一个是普通的彩色图，而另一个是深度图。OpenCV 的 C++ 版本针对某些设备和通道定义了一些常量，以用于标识。但是，Python 版本里面没有定义这些常量。

为了解决这个问题，可在 depth.py 中增加如下的定义：

```
# Devices.CAP_OPENNI = 900 # OpenNI (for Microsoft
    Kinect)CAP_OPENNI_ASUS = 910 # OpenNI (for Asus Xtion)
# Channels of an OpenNI-compatible depth
    generator.CAP_OPENNI_DEPTH_MAP = 0 # Depth values in mm
        (16UC1)CAP_OPENNI_POINT_CLOUD_MAP = 1 # XYZ in meters
            (32FC3)CAP_OPENNI_DISPARITY_MAP = 2 # Disparity in
                pixels (8UC1)CAP_OPENNI_DISPARITY_MAP_32F = 3 #
                    Disparity in pixels
                        (32FC1)CAP_OPENNI_VALID_DEPTH_MASK = 4 #
                            8UC1
# Channels of an OpenNI-compatible RGB image
    generator.CAP_OPENNI_BGR_IMAGE = 5CAP_OPENNI_GRAY_IMAGE = 6
```

还需要解释一些深度相关（depth-related）通道的概念，具体内容如下：

❑ 深度图。它是灰度图像，该图像的每个像素值都是摄像头到物体表面之间距离的估计值。比如，CAP_OPENNI_DEPTH_MAP 通道的图像给出了基于浮点数的距离，该距离以毫米为单位。

❑ 点云图。它是彩色图像，该图像的每种颜色都对应一个（x、y 或 z）维度空间。比如，CAP_OPENNI_POINT_CLOUD_MAP 通道会得到 BGR 图像，从摄像头的角度来看，B 对应 x（蓝色是右边），G 对应 y（绿色是向上），R 对应 z（红色对应深度），这个值的单位是米。

❑ 视差图。它是灰度图像，该图像的每个像素值代表物体表面的立体视差。立体视差是指：假如将从不同视角观察同一场景得到的两张图像叠放在一起，这很可能让人感觉是两张不同的图像，在这个场景中，针对两张图像中两个孪生的物体之间任意一对相互对应的两个像素点，可以度量这些像素之间的距离。这个度量就是立体视差。近距离的物体会产生较大的立体视差，而远距离的就小一些。因此近距离的物体在视差图中会更明亮一些。

❏ 有效深度掩模。它是表明一个给定的像素的深度信息是否有效（一个非零值表示有效，零值表示无效）。比如，如果深度摄像头依赖于红外照明器（红外闪光灯），在灯光被遮挡的区域（阴影）的深度信息就为无效。

下图为一个人坐在猫的雕塑后面的点云图：

下图为一个人坐在猫的雕塑后面的视差图：

下图为一个人坐在猫的雕塑后面的有效深度掩模：

4.3 从视差图得到掩模

建立项目 Cameo 的目的是让我们对视差图和有效深度掩模感兴趣，它们可以精确地估计面部（facial）区域。

使用 FaceTracker 函数和一幅普通的彩色图像就可以得到面部区域的矩形估计。通过相应的视差图来分析这个矩形区域，就可以断定矩形区域里的某些像素是否为噪声，即离的太远或太近从而不是面部的一部分，可以通过去除这些噪声来精炼面部区域。但是只能够在数据有效的情况下做这个测试，就像有效深度掩模所表明的那样。

下面写一个生成掩模的函数，使得面部矩形中不想要的区域的掩模值为 0，想要的区域掩模值为 1。这个函数会将视差图、有效深度掩模和一个矩形作为参数。在 depth.py 中如下实现：

```python
def createMedianMask(disparityMap, validDepthMask, rect = None):
    """Return a mask selecting the median layer, plus shadows."""
    if rect is not None:
        x, y, w, h = rect
        disparityMap = disparityMap[y:y+h, x:x+w]
        validDepthMask = validDepthMask[y:y+h, x:x+w]
    median = numpy.median(disparityMap)
    return numpy.where((validDepthMask == 0) | \
                       (abs(disparityMap - median) < 12),
                       1.0, 0.0)
```

为了识别出视差图中的噪声，首先需要用 numpy.median() 来得到中位值，该函数的参数为一个数组。当数组元素排好序时，若数组的长度是奇数，则返回最中间位置的值；如果数组的长度是偶数，则返回中间两个数的平均值。

生成掩模需要逐像素地进行布尔操作，可以使用 numpy.where() 函数，它有三个参数：第一个参数为数组，该数组的元素值为真或假。函数会返回同样维度的数组；输入数组的元素值为真时，输出数组的相应元素为函数的第二个参数；否则，输入数组的元素为假时输出数组相应的元素为函数的第三个参数。

当有效的视差值与平均视差值相差 12 或者更多时，就可将像素看作噪声。选择值 12 只是出于经验。可根据摄像头和 Cameo 程序的运行情况来调整这个值。

4.4 对复制操作执行掩模

前面的章节已经实现了 copyRect() 函数，它仅将源图像中的指定矩形区域复制到目标图像中。下面要为这个复制操作增加更多功能，会使用一个与源矩形一样大的掩模。

这个函数只复制掩模值为非零的源矩形中的像素，其他像素不会被复制，保留它们在目标图像中的值。对于这种情况，可用前面介绍的 numpy.where() 函数来实现，即将一个数组作为作为条件，另外两个数组作为可能的输出值。

打开 rects.py，编辑 copyRect() 函数，以增加一个掩模参数。这个参数可能为 None，这种情况就会使用复制操作原来的实现。否则就需要确保掩模和图像有相同的通道数。假定掩模有一个通道而图像有三个通道（BGR），则可使用 numpy.array 的 repeat() 方法和 reshape() 方法来为掩模复制通道。

最后使用 where() 来完成复制操作，具体实现如下：

```python
def copyRect(src, dst, srcRect, dstRect, mask = None,
             interpolation = cv2.INTER_LINEAR):
    """Copy part of the source to part of the destination."""

    x0, y0, w0, h0 = srcRect
    x1, y1, w1, h1 = dstRect

    # Resize the contents of the source sub-rectangle.
    # Put the result in the destination sub-rectangle.
    if mask is None:
        dst[y1:y1+h1, x1:x1+w1] = \
            cv2.resize(src[y0:y0+h0, x0:x0+w0], (w1, h1),
                       interpolation = interpolation)
    else:
        if not utils.isGray(src):
            # Convert the mask to 3 channels, like the image.
```

```
        mask = mask.repeat(3).reshape(h0, w0, 3)
    # Perform the copy, with the mask applied.
    dst[y1:y1+h1, x1:x1+w1] = \
        numpy.where(cv2.resize(mask, (w1, h1),
                               interpolation = \
                               cv2.INTER_NEAREST),
                    cv2.resize(src[y0:y0+h0, x0:x0+w0], (w1,
                        h1),
                               interpolation = interpolation),
                    dst[y1:y1+h1, x1:x1+w1])
```

还需要修改 swapRects() 函数，该函数使用 copyRect() 来完成一组矩形区域的循环交换。对 swapRects() 的修改相当简单，只需增加一个新的参数 masks，这是一组要分别传给 copyRect() 函数的掩模。如果 masks 值为 None，则每一次传给 copyRect() 的也是 None。

具体实现如下：

```
def swapRects(src, dst, rects, masks = None,
              interpolation = cv2.INTER_LINEAR):
    """Copy the source with two or more sub-rectangles swapped."""

    if dst is not src:
        dst[:] = src

    numRects = len(rects)
    if numRects < 2:
        return

    if masks is None:
        masks = [None] * numRects

    # Copy the contents of the last rectangle into temporary
        storage.
    x, y, w, h = rects[numRects - 1]
    temp = src[y:y+h, x:x+w].copy()

    # Copy the contents of each rectangle into the next.
    i = numRects - 2
    while i >= 0:
        copyRect(src, dst, rects[i], rects[i+1], masks[i],
            interpolation)
        i -= 1

    # Copy the temporarily stored content into the first rectangle.
    copyRect(temp, dst, (0, 0, w, h), rects[0], masks[numRects -
        1],
            interpolation)
```

注意，copyRect() 和 swapRects() 的 masks 参数默认都为 None，所以这些函数的新版本会向后兼容之前的 Cameo 版本。

4.5 使用普通摄像头进行深度估计

深度摄像头是极少在捕获图像时能估计物体与摄像头之间距离的设备。深度摄像头是如何得到深度信息的呢？能够使用普通摄像头完成同样的工作吗？

深度摄像头（比如微软的 Kinect）将传统摄像头和一个红外传感器相结合来帮助摄像头区别相似物体并计算它们与摄像头之间的距离。然而不是所有人都有深度摄像头或 Kinect，而且这里只是学习 OpenCV，当人们对这些内容感兴趣并且很熟悉时，才可能花大价钱购买这种昂贵设备。

通常我们的计算机上会有一个摄像头或安装在机器上的简单的网络摄像头。因此需要利用这些简单的设备来估计物体到摄像头之间的距离。

这里会用到几何学中的极几何（Epipolar Geometry），它属于立体视觉（stereo vision）几何学。立体视觉是计算机视觉的一个分支，它从同一物体的两张不同图像提取三维信息。

极几何是如何工作的呢？从概念上讲，它跟踪从摄像头到图像上每个物体的虚线，然后在第二张图像做同样的操作，并根据同一个物体对应的线的交叉来计算距离。下图为这个概念的示意图。

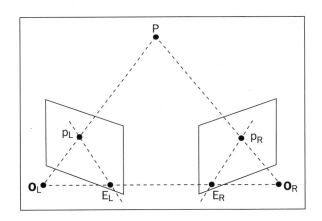

下面介绍 OpenCV 如何使用极几何来计算所谓的视差图，它是对图像中检测到的不同深度的基本表示。这样就能够提取出一张图片的前景部分而抛弃其余部分。

首先需要同一物体在不同视角下拍摄的两幅图像，但是要注意这两幅图像是距物体相同距离拍摄的，否则计算将会失败，视差图也就没有意义。

下面介绍一个例子：

```
import numpy as np
import cv2
```

```python
def update(val = 0):
    # disparity range is tuned for 'aloe' image pair
    stereo.setBlockSize(cv2.getTrackbarPos('window_size',
        'disparity'))
    stereo.setUniquenessRatio(cv2.getTrackbarPos
        ('uniquenessRatio', 'disparity'))
    stereo.setSpeckleWindowSize(cv2.getTrackbarPos
        ('speckleWindowSize', 'disparity'))
    stereo.setSpeckleRange(cv2.getTrackbarPos('speckleRange',
        'disparity'))
    stereo.setDisp12MaxDiff(cv2.getTrackbarPos('disp12MaxDiff',
        'disparity'))

    print 'computing disparity...'
    disp = stereo.compute(imgL, imgR).astype(np.float32) / 16.0

    cv2.imshow('left', imgL)
    cv2.imshow('disparity', (disp-min_disp)/num_disp)


if __name__ == "__main__":
    window_size = 5
    min_disp = 16
    num_disp = 192-min_disp
    blockSize = window_size
    uniquenessRatio = 1
    speckleRange = 3
    speckleWindowSize = 3
    disp12MaxDiff = 200
    P1 = 600
    P2 = 2400
    imgL = cv2.imread('images/color1_small.jpg')
    imgR = cv2.imread('images/color2_small.jpg')
    cv2.namedWindow('disparity')
    cv2.createTrackbar('speckleRange', 'disparity', speckleRange,
        50, update)
    cv2.createTrackbar('window_size', 'disparity', window_size,
        21, update)
    cv2.createTrackbar('speckleWindowSize', 'disparity',
        speckleWindowSize, 200, update)
    cv2.createTrackbar('uniquenessRatio', 'disparity',
        uniquenessRatio, 50, update)
    cv2.createTrackbar('disp12MaxDiff', 'disparity',
        disp12MaxDiff, 250, update)
    stereo = cv2.StereoSGBM_create(
        minDisparity = min_disp,
        numDisparities = num_disp,
        blockSize = window_size,
        uniquenessRatio = uniquenessRatio,
        speckleRange = speckleRange,
        speckleWindowSize = speckleWindowSize,
```

```
        disp12MaxDiff = disp12MaxDiff,
        P1 = P1,
        P2 = P2
    )
update()
cv2.waitKey()
```

这个例子使用同一物体的两幅图像来计算视差图，距离摄像头近的点在视差图中会有更明亮的颜色。黑色区域代表两幅图像的差异部分。

首先，导入 numpy 模块和 cv2 模块。

先跳过 update 函数的定义，直接看主代码。处理过程非常简单：加载两幅图像，创建一个 StereoSGBM 实例（StereoSGBM 是 semiglobal block matching 的缩写，这是一种计算视差图的算法），并创建几个跟踪条来调整算法参数，然后调用 update 函数。

update 函数将跟踪条的值传给 StereoSGBM 实例，然后调用 compute 方法来得到一个视差图。这个过程相当简单！下面是用到的第一张图：

这是第二张图：

下面这个视差图非常不错且很容易理解。

StereoSGBM 用到的几个参数如下（来自 OpenCV 文档）：

参　　数	描　　述
minDisparity	这个参数表示可能的最小视差值。它通常为零，但有时校正算法会移动图像，所以参数值也要相应调整
numDisparity	这个参数表示最大的视差值与最小的视差值之差。这个差值总是大于 0。在当前的实现中，这个值必须要能被 16 整除
windowSize	这个参数为一个匹配块的大小，它必须是大于等于 1 的奇数。通常在 3 ~ 11 之间
P1	这个参数是控制视差图平滑度的第一个参数。具体看下面的介绍
P2	这个参数是控制视差图平滑度的第二个参数。这个值越大，视差图越平滑。P1 是邻近像素间视差值变化为 1 时的惩罚值，P2 是邻近像素间视差值变化大于 1 时的惩罚值。算法要求 P2>P1。stereo_match.cpp 样例中给出一些 P1 和 P2 的合理取值（比如，P1、P2 分别是 8*number_of_image_channels*windowSize*windowSize 和 32*number_of_image_channels*windowSize*windowSize）
disp12MaxDiff	这个参数表示在左右视差检查中最大允许的偏差（整数像素单位）。设为非正值将不做检查
preFilterCap	这个参数表示预过滤图像像素的截断值。算法首先计算每个像素在 x 方向上的衍生值（derivative），然后使用 [-preFilterCap,preFilterCap] 区间来截取它的值。最后的结果传给 Birchfiled-Tomasi 像素代价函数
uniquenessRatio	这个参数表示由代价函数计算得到的最好（最小）结果值比第二好的值小多少（用百分比表示）才被认为是正确的。通常在 5 ~ 15 之间就可以了

（续）

参　数	描　述
speckleWindowSize	这个参数表示平滑视差区域的最大窗口尺寸，以考虑噪声斑点或无效性。将它设为 0 就不会进行斑点过滤。否则应取 50 ~ 200 之间的某个值
speckleRange	该参数是指每个已连接部分的最大视差变化。如果进行斑点过滤，则该参数取正值，函数会自动乘以 16。一般情况下该参数取 1 或 2 就足够了

通过上面的脚本，读者就可以加载图像，并调整参数直到 StereoSGBM 能生成满意的视差图。

4.6　使用分水岭和 GrabCut 算法进行物体分割

计算视差图对检测图像的前景很有用，但 StereoSGBM 不是唯一能够完成这个功能的算法，实际上，StereoSGBM 主要是从二维图片中得到三维信息。而 GrabCut 是能很好实现这个功能的工具。GrabCut 算法的实现步骤为：

1）在图片中定义含有（一个或多个）物体的矩形。

2）矩形外的区域被自动认为是背景。

3）对于用户定义的矩形区域，可用背景中的数据来区别它里面的前景和背景区域。

4）用高斯混合模型（Gaussians Mixture Model，GMM）来对背景和前景建模，并将未定义的像素标记为可能的前景或背景。

5）图像中的每一个像素都被看作通过虚拟边与周围像素相连接，而每条边都有一个属于前景或背景的概率，这基于它与周围像素颜色上的相似性。

6）每一个像素（即算法中的节点）会与一个前景或背景节点连接，这与下图类似：

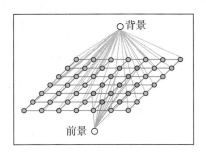

7）在节点完成连接后（可能与背景或前景连接），若节点之间的边属于不同终端（译者注：即一个节点属于前景，另一个节点属于背景），则会切断它们之间的边（就是算法中有名的切割部分），这就能将图像各部分分割出来。下图能很好说明该算法：

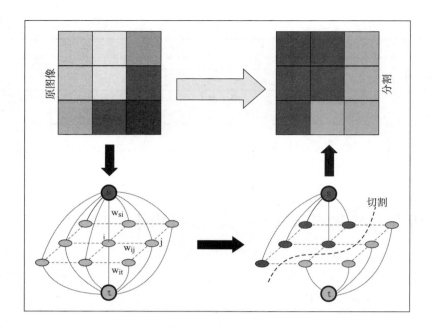

4.6.1　用 GrabCut 进行前景检测的例子

接下来以下图这个美丽的天使雕像图作为例子来进行介绍。

我们要提取出图中的天使并消除背景。为此需要创建一个脚本来实例化 GrabCut，进行分割，然后把结果与原图像一起展示。这里将会使用 matplotlib，它是一个非常有用的 Python 库，可以很容易地展示图表和图像：

```
import numpy as np
import cv2
from matplotlib import pyplot as plt
```

```
img = cv2.imread('images/statue_small.jpg')
mask = np.zeros(img.shape[:2],np.uint8)

bgdModel = np.zeros((1,65),np.float64)
fgdModel = np.zeros((1,65),np.float64)

rect = (100,50,421,378)
cv2.grabCut(img,mask,rect,bgdModel,fgdModel,5,
    cv2.GC_INIT_WITH_RECT)

mask2 = np.where((mask==2)|(mask==0),0,1).astype('uint8')
img = img*mask2[:,:,np.newaxis]

plt.subplot(121), plt.imshow(img)
plt.title("grabcut"), plt.xticks([]), plt.yticks([])
plt.subplot(122), plt.imshow(cv2.cvtColor(cv2.imread('images/statue_
small.jpg'),
    cv2.COLOR_BGR2RGB))
plt.title("original"), plt.xticks([]), plt.yticks([])
plt.show()
```

这段代码非常直白。首先加载想要处理的图像，然后创建一个与所加载图像同形状的掩模，并用 0 填充：

```
import numpy as np
import cv2
from matplotlib import pyplot as plt

img = cv2.imread('images/statue_small.jpg')
mask = np.zeros(img.shape[:2],np.uint8)
```

然后创建以 0 填充的前景和背景模型：

```
bgdModel = np.zeros((1,65),np.float64)
fgdModel = np.zeros((1,65),np.float64)
```

可以用数据填充这些模型，但是这里准备用一个标识出想要隔离的对象的矩形来初始化 GrabCut 算法。所以背景和前景模型都要基于这个初始矩形所留下的区域来决定。这个矩形用下面这行代码来定义：

```
rect = (100,50,421,378)
```

接下来的部分很有趣，使用了指定的空模型和掩模来运行 GrabCut 算法，并且实际上是用一个矩形来初始化这个操作：

```
cv2.grabCut(img,mask,rect,bgdModel,fgdModel,5,
    cv2.GC_INIT_WITH_RECT)
```

读者也许会注意到 fgdModel 后面有一个整数，它是算法的迭代次数。可以将它设得更大，但像素分类总会收敛到某个地方，这时再增加迭代次数也不会有任何改进。

做完这些之后，我们的掩模已经变成包含 0 ~ 3 之间的值。值为 0 和 2 的将转为 0，值为 1 和 3 的将转为 1，然后保存在 mask2 中，这样就可以用 mask2 过滤出所有的 0 值像素（理论上会完整保留所有前景像素）：

```
mask2 = np.where((mask==2)|(mask==0),0,1).astype('uint8')
img = img*mask2[:,:,np.newaxis]
```

剩余的代码用来并排展示两张图像，显示的结果如下：

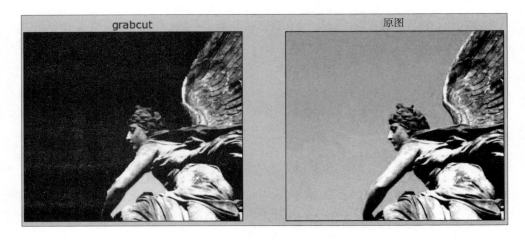

这是一个非常不错的结果。也许读者会注意到天使的臂下留有一块背景区域，这可以通过点击来增加更多的迭代次数解决。这个算法的源代码可在 OpenCV 的 samples/python2/grabcut.py 文件中找到。

4.6.2　使用分水岭算法进行图像分割

最后来介绍一下分水岭算法，算法叫作分水岭是因为它里面有水的概念。把图像中低密度的区域（变化很少）想象成山谷，图像中高密度的区域（变化很多）想象成山峰。开始向山谷中注入水直到不同的山谷中的水开始汇聚。为了阻止不同山谷的水汇聚，可以设置一些栅栏，最后得到的栅栏就是图像分割。

下图为罗勒叶子的图像，它是香蒜沙司最重要的原料之一：

现在希望通过图像分割将这些罗勒叶子从白色背景中分离开来。

首先导入 numpy、cv2 以及 matplotlib 模块，然后加载罗勒叶子的图像：

```
import numpy as np
import cv2
from matplotlib import pyplot as plt
img = cv2.imread('images/basil.jpg')
gray = cv2.cvtColor(img,cv2.COLOR_BGR2GRAY)
```

将颜色转为灰度之后，可为图像设一个阈值，这个操作可将图像分为两部分：黑色部分和白色部分：

```
ret, thresh = cv2.threshold
    (gray,0,255,cv2.THRESH_BINARY_INV+cv2.THRESH_OTSU)
```

下面通过 morphologyEx 变换来去除噪声数据，这是一种对图像进行膨胀之后再进行腐蚀的操作，它可以提取图像特征：

```
kernel = np.ones((3,3),np.uint8)
opening = cv2.morphologyEx(thresh,cv2.MORPH_OPEN,kernel,
    iterations = 2)
```

通过对 morphologyEx 变换之后的图像进行膨胀操作，可以得到大部分都是背景的区域：

```
sure_bg = cv2.dilate(opening,kernel,iterations=3)
```

反之，可以通过 distanceTransform 来获取确定的前景区域。也就是说，这是图像中最可能是前景的区域，越是远离背景区域的边界的点越可能属于前景。在得到 distanceTransform 操作的结果之后，应用一个阈值来决定那些区域是前景，这样得到正确结果的概率很高：

```
dist_transform = cv2.distanceTransform(opening,cv2.DIST_L2,5)
ret, sure_fg =
    cv2.threshold(dist_transform,0.7*dist_transform.max(),255,0)
```

这个阶段之后，所得到的前景和背景中有重合的部分该怎么办呢？首先需要确定这些区域，这可从 sure_bg 与 sure_fg 的集合相减来得到：

```
sure_fg = np.uint8(sure_fg)
unknown = cv2.subtract(sure_bg,sure_fg)
```

现在有了这些区域，就可以设定"栅栏"来阻止水汇聚了，这是通过 connected-Components 函数完成的。看一下在分析 GrabCut 算法时用到的一些图论知识，并把图像看成是有边相连的节点集。给出一些确定的前景区域，其中一些节点会连接在一起，而另一些节点并没有连接在一起。这意味着，它们属于不同的山谷，在它们之间应该有一个栅栏：

```
ret, markers = cv2.connectedComponents(sure_fg)
```

在背景区域上加 1，这会将 unknown 区域设为 0：

```
markers = markers+1
markers[unknown==255] = 0
```

最后打开门，让水漫起来并把栅栏绘成红色：

```
markers = cv2.watershed(img,markers)
img[markers == -1] = [255,0,0]
plt.imshow(img)
plt.show()
```

这会得到如下结果：

4.7　总结

本章介绍了从二维输入（一段视频或者一幅图像）中得到三维信息。首先介绍了深度摄像头、极几何以及立体图像，然后介绍了视差图的计算。最后用两种流行方法（GrabCut 和分水岭）来进行图像分割。

本章向我们介绍了一个由图像提供的解释信息的世界，下面可以探索 OpenCV 的另一个重要功能：特征描述符和关键点检测。

第 5 章

人脸检测和识别

使计算机视觉成为极具吸引力学科的原因之一是：它会使未来逐步变成现实，人脸检测就是例证。在现实生活中人脸检测可用于各行各业（从安保到娱乐等领域），而 OpenCV 提供了人脸检测算法。

本章将介绍 OpenCV 的人脸检测函数，定义了具体可跟踪对象类型的数据文件。具体而言，本章将介绍 Haar 级联分类器，通过对比分析相邻图像区域来判断给定图像或子图像与已知对象是否匹配。本章将考虑如何将多个 Haar 级联分类器构成一个层次结构，即一个分类器能识别整体区域（如人脸），而其他的分类器可识别小的区域（眼睛、鼻子和嘴）。

本章也介绍很重要的矩形区域识别。通过绘制、复制和调整矩形图像区域来简单操作所跟踪的图像区域。

本章最后会将人脸跟踪和矩形操作整合到 Cameo，会形成互动的应用！

5.1 Haar 级联的概念

当谈到目标分类和位置跟踪时，希望精确定位什么？什么才是目标的可识别部分？

摄影作品（甚至是来自网络摄像头的图像）可能包含很多令人愉悦的细节。但是，由于灯光、视角、视距、摄像头抖动以及数字噪声的变化，图像细节变得不稳定。人们在分类时不会受这些物理细节方面差异的影响。以前学过，在显微镜下没有两片看起来很像的雪花。幸运的是，作者生长在加拿大，已经学会如何不用显微镜来识别雪花。

因此，提取出图像的细节对产生稳定分类结果和跟踪结果很有用。这些提取的结果被称为特征，专业的表述为：从图像数据中提取特征。虽然任意像素都可能影响多个特征，但特征应该比像素数少得多。两个图像的相似程度可以通过它们对应特征的欧氏距离来度量。

例如，距离可能以空间坐标或颜色坐标来定义。类 Haar 特征是一种用于实现实时人脸跟踪的特征。文献《Robust Real-Time Face Detection, Paul Viola and Michael Jones, Kluwer Academic Publishers, 2001》（http://www.vision.caltech.edu/html-files/EE148-2005-Spring/pprs/viola04ijcv.pdf）首次采用这种特征来进行人脸检测。每个类 Haar 特征都描述了相邻图像区域的对比模式。例如，边、顶点和细线都能生成具有判别性的特征。

对给定的图像，特征可能会因区域大小而有所不同，区域大小也可被称为窗口大小 (window size)。即使窗口大小不一样，仅在尺度上不同的两幅图像也应该有相似的特征。因此，能为不同大小的窗口生成特征非常有用。这些特征集合称为级联。Haar 级联具有尺度不变性，换句话说，它在尺度变化上具有鲁棒性。OpenCV 提供了尺度不变 Haar 级联的分类器和跟踪器，并可将其保存成指定的文件格式。

OpenCV 的 Haar 级联不具有旋转不变性。例如，Haar 级联不认为倒置的人脸图像和直立的人脸图像一样，而侧面的人脸图像与正面的人脸图像也不一样。更可通过多种图像变换和多种窗口大小来提高 Haar 级联的旋转鲁棒性，但这样会变得很复杂，而且会耗费更多计算资源。本章只讨论 OpenCV 中 Haar 级联的实现。

5.2　获取 Haar 级联数据

在 OpenCV 3 源代码的副本中会有一个文件夹 data/haarcascades。该文件夹包含了所有 OpenCV 的人脸检测的 XML 文件，这些文件可用于检测静止图像、视频和摄像头所得到图像中的人脸。

找到 haarcascades 文件夹后，为项目创建一个文件夹，然后在该文件夹中创建名为 cascades 的子文件夹，并将 haarcascades 文件夹中的所有文件复制到 cascades 文件夹中：

```
haarcascade_profileface.xml
haarcascade_righteye_2splits.xml
haarcascade_russian_plate_number.xml
haarcascade_smile.xml
haarcascade_upperbody.xml
```

从文件名可知这些级联是用于人脸、眼睛、鼻子和嘴的跟踪。这些文件需要正面、直立的人脸图像。在稍后创建人脸检测器时会使用这些文件。有了很大的耐心以及强大的计算机，就可以创建自己的级联，并训练这些级联来检测各种对象。

5.3　使用 OpenCV 进行人脸检测

在静态图像或视频中检测人脸的操作非常相似。视频人脸检测只是从摄像头读出每帧图像，然后采用静态图像中的人脸检测方法进行检测。当然，视频人脸检测还涉及其他的概念，例如跟踪，而静态图像中的人脸检测就没有这样的概念，但它们的基本理论是一致的。

下面继续介绍人脸检测。

5.3.1　静态图像中的人脸检测

人脸检测首先是加载图像并检测人脸，这也是最基本的一步。为了使所得到的结果有意义，可在原始图像的人脸周围绘制矩形框。

现在，项目中已经包含了 haarcascades 文件夹的内容，下面创建一个基本的脚本来实现人脸检测。

```python
import cv2

filename = '/path/to/my/pic.jpg'

def detect(filename):
  face_cascade =
    cv2.CascadeClassifier('./cascades/
      haarcascade_frontalface_default.xml')

  img = cv2.imread(filename)
  gray = cv2.cvtColor(img, cv2.COLOR_BGR2GRAY)
  faces = face_cascade.detectMultiScale(gray, 1.3, 5)
  for (x,y,w,h) in faces:
    img = cv2.rectangle(img,(x,y),(x+w,y+h),(255,0,0),2)
  cv2.namedWindow('Vikings Detected!!')
  cv2.imshow('Vikings Detected!!', img)
  cv2.imwrite('./vikings.jpg', img)
  cv2.waitKey(0)

detect(filename)
```

下面来分析这段代码。首先，导入所需的 cv2 模块（本书每个脚本在开始时都会导入这种模块或类似的模块）。然后，定义 detect 函数。

```python
def detect(filename):
```

该函数声明了 face_cascade 变量，该变量为 CascadeClassifier 对象，它负责人脸检测。

```python
  face_cascade =
```

```
cv2.CascadeClassifier('./cascades/
   haarcascade_frontalface_default.xml')
```

然后通过 cv2.imread 加载文件，并将其转换为灰度图像，因为人脸检测需要这样的色彩空间。

接下来（face_cascade.detectMultiScale）进行实际的人脸检测。

```
img = cv2.imread(filename)
gray = cv2.cvtColor(img, cv2.COLOR_BGR2GRAY)
faces = face_cascade.detectMultiScale(gray, 1.3, 5)
```

传递参数是 scaleFactor 和 minNeighbors，它们分别表示人脸检测过程中每次迭代时图像的压缩率以及每个人脸矩形保留近邻数目的最小值。这些参数对于初学者可能有点复杂，但从官方文档中可以查看所有选项的内容。

检测操作的返回值为人脸矩形数组。函数 cv2.rectangle 允许通过坐标来绘制矩形（x 和 y 表示左上角的坐标，w 和 h 表示人脸矩形的宽度和高度）。

通过依次提取 faces 变量中的值来找到人脸，并在人脸周围绘制蓝色矩形，这是在原始图像而不是图像的灰色版本上进行绘制。

```
for (x,y,w,h) in faces:
    img = cv2.rectangle(img,(x,y),(x+w,y+h),(255,0,0),2)
```

最后，创建 namedWindow 的实例，并显示处理后的图像。为了避免图像窗口自动关闭，需要加入 waitKey 函数，这样在按下任意键时才可关闭窗口。

```
cv2.namedWindow('Vikings Detected!!')
cv2.imshow('Vikings Detected!!', img)
cv2.waitKey(0)
```

下图表示检测到了一系列的维京人（Vikings）：

5.3.2 视频中的人脸检测

前面的内容可以帮助我们理解如何在静态图像上进行人脸检测。在视频的帧上重复这个过程就能完成视频（如摄像头的输入或视频文件）中的人脸检测。

该脚本将执行以下任务：打开摄像头，读取帧，检测帧中的人脸，扫描检测到的人脸中的眼睛，对人脸绘制蓝色的矩形框，对眼睛绘制绿色的矩形框。

1）创建名为 face_detection.py 的文件，并导入模块：

```
import cv2
```

2）然后定义用来检测人脸的 detect() 函数。

```
    def detect():
face_cascade =
    cv2.CascadeClassifier('./cascades/
      haarcascade_frontalface_default.xml')
eye_cascade =
    cv2.CascadeClassifier('./cascades/haarcascade_eye.xml')
camera = cv2.VideoCapture(0)
```

3）detect() 函数首先会加载 Haar 级联文件，由此 OpenCV 可执行人脸检测。由于将 Haar 级联文件复制到了项目下的 cascades/ 文件夹中，可使用相对路径来加载这些级联文件。然后打开一个 VideoCapture 目标（视始化摄像头）。VideoCapture 构造函数的参数用来表示要使用的摄像头。0 表示要使用第一个摄像头：

```
while (True):
    ret, frame = camera.read()
    gray = cv2.cvtColor(frame, cv2.COLOR_BGR2GRAY)
```

4）接下来捕获帧。read() 函数会返回两个值：第一个值为布尔值，用来表明是否成功读取帧，第二个值为帧本身。捕捉到帧后，将其转换为灰度图像。这个操作很有必要，因为 OpenCV 中人脸检测需要基于灰度的色彩空间：

```
faces = face_cascade.detectMultiScale(gray, 1.3, 5)
```

5）与静态图像的例子一样，对具有灰度色彩空间的帧调用 detectMultiScale。

```
for (x,y,w,h) in faces:
    img =
        cv2.rectangle(frame,(x,y),(x+w,y+h),(255,0,0),
            2)


    roi_gray = gray[y:y+h, x:x+w]

    eyes = eye_cascade.detectMultiScale(roi_gray, 1.03,
        5, 0, (40,40))
```

注意： 在眼睛检测中还有另外几个参数。为什么会这样呢？ detectMultiScale 有许多可选参数：在人脸检测时，默认选项足以检测人脸。但是，眼睛是一个比较小的人脸特征，并且胡子或鼻子的本身阴影（self-casting shadow）以及帧的随机阴影都会产生假阳性（false positive）。

通过限制对眼睛搜索的最小尺寸为 40×40 像素，可去掉所有的假阳性。然后测试这些参数，直到应用程序可以满足预期（例如，可以尝试指定特征的最大尺寸，或增加比例因子以及近邻的数量）。

6）下面的内容与静态图像检测相比更进了一步，即为人脸矩形框创建一个相对应的感兴趣区域，并在该矩形中进行"眼睛检测"。这是一种自然的想法，因为不会在人脸以外寻找眼睛（至少对于人类是这样的！）。

```
for (ex,ey,ew,eh) in eyes:
    cv2.rectangle(img,(ex,ey),(ex+ew,ey+eh),
        (0,255,0),2)
```

7）同样，循环输出检测眼睛的结果，并在其周围绘制绿色的矩形框。

```
    cv2.imshow("camera", frame)
    if cv2.waitKey(1000 / 12) & 0xff == ord("q"):
      break

  camera.release()
  cv2.destroyAllWindows()

if __name__ == "__main__":
  detect()
```

8）最后，在窗口中显示得到的结果。一切顺利的话，脸会在摄像头的视域内，在人脸周围会有一个蓝色的矩形框，每个眼睛周围有一个绿色的矩形框，如下图所示：

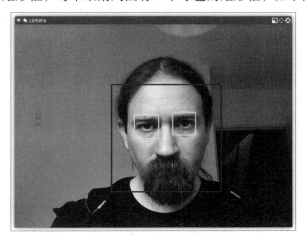

5.3.3 人脸识别

人脸检测是 OpenCV 的一个很不错的功能，它是人脸识别的基础。什么是人脸识别？其实就是一个程序能识别给定图像或视频中的人脸。实现这一目标的方法之一（OpenCV 也采用这种方法）是用一系列分好类的图像（人脸数据库）来"训练"程序，并基于这些图像来进行识别。

这就是 OpenCV 及其人脸识别模块进行人脸识别的过程。

人脸识别模块的另一个重要特征是：每个识别都具有转置信（confidence）评分，因此可在实际应用中通过对其设置阈值来进行筛选。

人脸识别所需要的人脸可以通过两种方式来得到：自己获得图像或从人脸数据库免费获得可用的人脸图像。互联网上有许多人脸数据库：

❏ The Yale face database (Yalefaces): http://vision.ucsd.edu/content/yale-face-database

❏ The AT&T: http://www.cl.cam.ac.uk/research/dtg/attarchive/facedatabase.html

❏ The Extended Yale or Yale B: http://www.cl.cam.ac.uk/research/dtg/attarchive/facedatabase.html

为了对这些样本进行人脸识别，必须要在包含人脸的样本图像上进行人脸识别。这是一个学习的过程，但并不像自己提供的图像那样令人满意。事实上，作者与其他人都有同样的想法：想知道是否可在一定置信度下写一个程序来识别自己的脸。

1. 生成人脸识别数据

下面继续介绍生成图像的脚本。这里需要一些包含不同表情的图像，但是，必须确保样本图像满足如下条件：

❏ 图像是灰度格式，后缀名为 .pgm

❏ 图像形状为正方形

❏ 图像大小要一样（这里使用的大小为 200×200；大多数免费图像集都比这个小）

脚本如下：

```
import cv2

def generate():
  face_cascade = cv2.CascadeClassifier('./cascades/
    haarcascade_frontalface_default.xml')
eye_cascade =
  cv2.CascadeClassifier('./cascades/haarcascade_eye.xml')
camera = cv2.VideoCapture(0)
count = 0
while (True):
  ret, frame = camera.read()
  gray = cv2.cvtColor(frame, cv2.COLOR_BGR2GRAY)
```

```
    faces = face_cascade.detectMultiScale(gray, 1.3, 5)

    for (x,y,w,h) in faces:
        img = cv2.rectangle(frame,(x,y),(x+w,y+h),(255,0,0),2)

        f = cv2.resize(gray[y:y+h, x:x+w], (200, 200))

        cv2.imwrite('./data/at/jm/%s.pgm' % str(count), f)
        count += 1

    cv2.imshow("camera", frame)
    if cv2.waitKey(1000 / 12) & 0xff == ord("q"):
        break

    camera.release()
    cv2.destroyAllWindows()

if __name__ == "__main__":
    generate()
```

这个练习有意思的地方在于：生成这样的样本图像会用到视频中人脸检测的新知识。这个过程为：人脸检测，裁剪灰度帧的区域，将其大小调整为 200 × 200 像素，保存在指定的文件夹中，文件后缀名为 .pgm（在这里，文件夹名为 jm，也可以自己命名）。

需要一个 count 变量，因为要对图像名进行编号。将该脚本运行几秒钟，改变几次描述，并检查脚本中指定的目标文件夹内容。然后就会发现一些人脸图像文件，它们为灰度格式，大小是被调整过的，文件名为 <count>.pgm。

下面尝试在视频输入中识别自己的脸。这是一件非常有趣的事情！

2. 人脸识别

OpenCV 3 有三种人脸识别的方法，它们分别基于三种不同的算法：Eigenfaces、Fisherfaces 和 Local Binary Pattern Histogram（LBPH）。这些方法在理论上的区别超出了本书的范围，但本书会对这些概念进行简单介绍。

以下链接可以给出算法的详细说明：

❑ Principal Component Analysis (PCA)：Jonathon Shlens 给出了一个非常直观的介绍，网址是 http://arxiv.org/pdf/1404.1100v1.pdf。该算法是由 K. Pearson 在 1901 年提出的，原始论文" On Lines and Planes of Closest Fit to Points in Space "可在 http://stat.smmu.edu.cn/history/pearson1901.pdf 下载。

❑ Eigenfaces：论文" Eigenfaces for Recognition, M. Turk and A. Pentland, 1991 "可在 http://www.cs.ucsb.edu/~mturk/Papers/jcn.pdf 下载。

❑ Fisherfaces：开创性的论文" THE USE OF MULTIPLE MEASUREMENTS IN

TAXONOMIC PROBLEMS, R.A. Fisher, 1936" 可 在 http://onlinelibrary.wiley.com/doi/10.1111/j.1469-1809.1936.tb02137.x/pdf 下载。

❏ Local Binary Pattern：提出该算法的论文是"Performance evaluation of texture measures with classification based on Kullback discrimination of distributions, T. Ojala, M. Pietikainen, D. Harwood"，可 在 http://ieeexplore.ieee.org/xpl/articleDetails.jsp?arnumber = 576366 & searchWithin％5B％5D =％22Authors％22％3A.QT.Ojala％2C + T ..QT & newsearch = true 下载。

首先，所有的方法都有类似的过程，即都使用了分好类的训练数据集（人脸数据库，每个人都有很多样本）来进行"训练"，对图像或视频中检测到的人脸进行分析，并从两方面来确定：是否识别到目标；目标真正被识别到的置信度的度量，这也称为置信度评分。

Eigenfaces 是通过 PCA 来处理的。PCA 是计算机视觉中提到最多的数学概念。PCA 的本质是识别某个训练集上（比如人脸数据库）的主成分，并计算出训练集（图像或帧中检测到的人脸）相对于数据库的发散程度，并输出一个值。该值越小，表明人脸数据库和检测到的人脸之间的差别就越小；0 值表示完全匹配。

Fisherfaces 是从 PCA 衍生并发展起来的概念，它采用更复杂的逻辑。尽管计算更加密集，但比 Eigenfaces 更容易得到准确的效果。

LBPH 粗略地（在非常高的层次上）将检测到的人脸分成小单元，并将其与模型中的对应单元进行比较，对每个区域的匹配值产生一个直方图。由于这种方法的灵活性，LBPH 是唯一允许模型样本人脸和检测到的人脸在形状、大小上可以不同的人脸识别算法。个人认为这是最准确的算法，但是每个算法都有其长处和缺点。

3. 准备训练数据

现在已经有了数据，需要将这些样本图像加载到人脸识别算法中。所有的人脸识别算法在它们的 train() 函数中都有两个参数：图像数组和标签数组。这些标签表示什么？它们是进行人脸识别时，某个人／人脸的 ID，由此不但可知道被识别的人，而且还知道这个人是谁（在数据库中有很多人）。

要做到这一点，需要创建一个基于逗号分隔值（comma-separated value，CSV）的文件，用来根据 ID 记录样本图像的路径。在这个例子中，前面的脚本会产生 20 幅图像，保存在文件夹 data/at/ 的子文件夹 jm/ 中，该文件夹包含所有个人的图像。

CSV 文件看起来是这样的：

```
jm/1.pgm;0
jm/2.pgm;0
jm/3.pgm;0
...
jm/20.pgm;0
```

注意： "…"表示省略的内容。jm/ 为子文件夹，最后的 0 表示作者的人脸 ID。

现在已经做好了让 OpenCV 识别人脸的一切准备。

4. 加载数据并识别人脸

下面需要将两个资源（图像数组和 CSV 文件）加载到人脸识别的算法中，以训练人脸识别算法。首先需要创建函数用来逐行读取 CSV 文件，并将对应路径的图像加载到图像数组中，将 ID 加载到标签数组中。

```python
def read_images(path, sz=None):

    c = 0
    X,y = [], []
    for dirname, dirnames, filenames in os.walk(path):
        for subdirname in dirnames:
            subject_path = os.path.join(dirname, subdirname)
            for filename in os.listdir(subject_path):
                try:
                    if (filename == ".directory"):
                        continue
                    filepath = os.path.join(subject_path,
                        filename)
                    im = cv2.imread(os.path.join(subject_path,
                        filename), cv2.IMREAD_GRAYSCALE)

                    # resize to given size (if given)
                    if (sz is not None):
                        im = cv2.resize(im, (200, 200))

                    X.append(np.asarray(im, dtype=np.uint8))
                    y.append(c)
                except IOError, (errno, strerror):
                    print "I/O error({0}): {1}".format(errno,
                        strerror)
                except:
                    print "Unexpected error:", sys.exc_info()[0]
                    raise
            c = c+1


    return [X,y]
```

5. 基于 Eigenfaces 的人脸识别

下面是测试人脸识别算法的脚本：

```python
def face_rec():
    names = ['Joe', 'Jane', 'Jack']
```

```
if len(sys.argv) < 2:
    print "USAGE: facerec_demo.py </path/to/images>
        [</path/to/store/images/at>]"
    sys.exit()

[X,y] = read_images(sys.argv[1])
y = np.asarray(y, dtype=np.int32)

if len(sys.argv) == 3:
    out_dir = sys.argv[2]

model = cv2.face.createEigenFaceRecognizer()
model.train(np.asarray(X), np.asarray(y))
camera = cv2.VideoCapture(0)
face_cascade = cv2.CascadeClassifier('./cascades/
    haarcascade_frontalface_default.xml')
while (True):
  read, img = camera.read()
  faces = face_cascade.detectMultiScale(img, 1.3, 5)
  for (x, y, w, h) in faces:
    img = cv2.rectangle(img,(x,y),(x+w,y+h),(255,0,0),2)
    gray = cv2.cvtColor(img, cv2.COLOR_BGR2GRAY)
    roi = gray[x:x+w, y:y+h]
    try:
        roi = cv2.resize(roi, (200, 200),
            interpolation=cv2.INTER_LINEAR)
        params = model.predict(roi)
        print "Label: %s, Confidence: %.2f" % (params[0],
            params[1])
        cv2.putText(img, names[params[0]], (x, y - 20),
            cv2.FONT_HERSHEY_SIMPLEX, 1, 255, 2)
    except:
        continue
  cv2.imshow("camera", img)
  if cv2.waitKey(1000 / 12) & 0xff == ord("q"):
    break
cv2.destroyAllWindows()
```

现在来分析这些脚本，其中有几行代码可能看起来有点陌生。首先，声明数组名称；这些是人脸数据库中所保存的真实个人姓名。用 ID0 来标识一个人会很不错，但在正确检测并识别的人脸上显示 'Joe' 会更有意思。

所以每当脚本识别一个 ID，就会将相应名称数组中的名字打印在人脸上。

在此之后，像前面的函数那样加载图像，并通过 cv2.createEigenFaceRecognizer() 创建人脸识别模型，通过图像数组和标签（IDs）数组来训练模型。注意用 Eigenface 识别时，有两个可以设置的重要参数：第一个是想要保留的主成分数目，第二个是指定的置信度阈值，这是一个浮点值。

接下来，重复与人脸检测操作类似的过程。通过在检测到的人脸上进行人脸识别，从而扩展了帧处理过程。

这会有两个步骤：首先，将检测到的人脸调整为指定的大小（这里的样本为 200×200 个像素），然后在调整后的区域中调用 predict() 函数。

注意： 这是一个稍微简化了的过程，以便保证基本应用程序可运行，也方便理解 OpenCV 3 中人脸识别的过程。实际上，还可采用更多的优化方法，例如正确对齐并旋转检测到的人脸，以便最大化识别精度。

最后得到了识别结果，为了显示其效果，将识别结果绘制在帧中：

6. 基于 Fisherfaces 的人脸识别

什么是 Fisherfaces？它的过程并没有太大变化，只需要采用不同的算法。模型变量的声明如下：

```
model = cv2.face.createFisherFaceRecognizer()
```

Fisherfaces 采用和 Eigenfaces 相同的两个参数：保留 Fisherfaces 的参数以及置信度阈值。置信度高于该阈值的人脸将会被丢弃。

7. 基于 LBPH 的人脸识别

最后来看看 LBPH 算法。再次强调一下，这个过程和前面的识别过程很类似。但是该算法的参数有点复杂，这些参数依次表示 radius、neighbors、grid_x、grid_y 以及置信度阈值。如果不指定这些值，这些参数就会取默认值：1，8，8，8，123.0。模型声明如下：

```
model = cv2.face.createLBPHFaceRecognizer()
```

 注意： 对于 LBPH 不需要调整图像大小，因为网格中的分割允许在每个单元中比较识别到的模式。

8. 通过置信度评分来丢弃结果

predict() 函数返回含有两个元素的数组：第一个元素是所识别个体的标签，第二个是置信度评分。所有的算法都有一个置信度评分阈值，置信度评分用来衡量所识别人脸与原模型的差距，0 表示完全匹配。

可能有时不想保留所有的识别结果，则需进一步处理，因此可用自己的算法来估算识别的置信度评分；例如，如果正在试图识别视频中的人，则可能要分析后续帧的置信度评分来估计识别是否成功。在这种情况下，可通过算法来检查得到的置信度评分，然后得出自己的结论。

 注意： Eigenfaces/ Fisherfaces 和 LBPH 的置信度评分值完全不同。Eigenfaces 和 Fisherfaces 将产生 0 到 20 000 的值，而任意低于 4000 到 5000 的评分都是相当可靠的识别。

LBPH 有类似的工作方式，但是一个好的识别参考值要低于 50，任何高于 80 的参考值都会被认为是低的置信度评分。

普通的自定义方法不会在识别的人脸周围画矩形，除非得到许多令人满意的置信度评分的帧，但可以完全自由地使用 OpenCV 的人脸识别模块来根据需要定制应用程序。

5.4 总结

现在，应该已经对人脸检测和人脸识别是如何工作的以及如何用 Python 和 OpenCV 3 实现人脸检测和识别有了深入理解。

人脸检测和人脸识别是计算机视觉不断发展的分支，其算法也在不断发展，并且在不久的将来，这些算法会在机器人技术和互联网应用中较快地使用。

现在，检测和识别的精度大部分取决于训练数据的质量，因此，为了得到满意的结果，需要确保向应用程序提供高质量的人脸数据库。

图像检索以及基于图像描述符的搜索

OpenCV 可以检测图像的主要特征，然后提取这些特征，使其成为图像描述符，这类似于人的眼睛与大脑。这些图像特征可作为图像搜索的数据库。此外，人们可以利用关键点将图像拼接（stitch）起来，组成一个更大的图像（比如将许多照片放在一起，然后形成一个360 度的全景图像）。

本章将介绍如何使用 OpenCV 来检测图像特征，并利用这些特征进行图像匹配和搜索。本章将选取一些图像，检测它们的主要特征，并通过单应性（homography）来检测这些图像是否存在于另一个图像中。

6.1 特征检测算法

有许多用于特征检测和提取的算法，本章将对其中的大部分进行介绍。OpenCV 中最常使用的特征检测和提取算法有：

❑ Harris：该算法用于检测角点
❑ SIFT：该算法用于检测斑点 (blob)
❑ SURF：该算法用于检测斑点
❑ FAST：该算法用于检测角点
❑ BRIEF：该算法用于检测斑点
❑ ORB：该算法代表带方向的 FAST 算法与具有旋转不变性的 BRIEF 算法

通过以下方法进行特征匹配：

❑ 暴力（Brute-Force）匹配法

❑ 基于 FLANN 的匹配法

可以采用单应性进行空间验证。

6.1.1 特征定义

那么，究竟什么是特征呢？为什么一幅图像的某个特定区域可以作为一个特征，而其他区域不能呢？粗略地讲，特征就是有意义的图像区域，该区域具有独特性或易于识别性。因此，角点及高密度区域是很好的特征，而大量重复的模式或低密度区域（例如图像中的蓝色天空）则不是好的特征。边缘可以将图像分为两个区域，因此也可以看作好的特征。斑点（与周围有很大差别的图像区域）也是有意义的特征。

大多数特征检测算法都会涉及图像的角点、边和斑点的识别，也有一些涉及脊向（ridge）的概念，可以认为脊向是细长物体的对称轴（例如，识别图像中的一条路）。

由于某些算法在识别和提取某种类型特征的时候有较好的效果，所以知道输入图像是什么很重要，这样做有利于选择最合适的 OpenCV 工具包。

检测角点特征

下面会介绍一个例子，该例子使用 cornerHarris 来识别角点。如果阅读更多与 OpenCV 相关的著作，就会发现棋盘是计算机视觉中常用的分析对象，其中一部分原因是方格图案适合多种类型的特征检测，还有一种可能就是国际象棋很受欢迎。

下图是国际象棋的示例图像：

cornerHarris 是一个非常方便且实用的 OpenCV 函数，该函数可以检测图像的角点。调用该函数的代码非常简单：

```
import cv2
import numpy as np

img = cv2.imread('images/chess_board.png')
gray = cv2.cvtColor(img, cv2.COLOR_BGR2GRAY)
gray = np.float32(gray)
dst = cv2.cornerHarris(gray, 2, 23, 0.04)
img[dst>0.01 * dst.max()] = [0, 0, 255]
while (True):
    cv2.imshow('corners', img)
    if cv2.waitKey(1000 / 12) & 0xff == ord("q"):
        break
cv2.destroyAllWindows()
```

手写批注： gray = np.array (gray, dtype='float')　aperture　block size　Harris is sensitive to scale

下面来分析这段代码：使用常用的方法加载棋盘图像，为了使 cornerHarris 函数可以计算，需将棋盘图像转化为灰度格式。然后调用 cornerHarris 函数：

```
dst = cv2.cornerHarris(gray, 2, 23, 0.04)
```

这里最重要的是第三个参数，该参数限定了 Sobel 算子的中孔 (aperture)。Sobel 算子通过对图像行、列的变化检测来检测边缘，Sobel 算子会通过核（kernel）来完成检测。cornerHarris 函数会使用 Sobel 算子，并且第三个参数定义了 Sobel 算子的中孔。简单地说，该参数定义了角点检测的敏感度。其取值必须是介于 3 和 31 之间的奇数。如果参数设为 3，当检测到方块的边界时，棋盘中黑色方块的所有对角线都会被认为是角点。如果参数设置为 23，只有每个方块的角点才会被检测为角点。

下面再来看这一行代码：

```
img[dst>0.01 * dst.max()] = [0, 0, 255]
```

这行代码会将检测到的角点标记为红色，调整 cornerHarris 的第二个参数可以改变这种情况，即参数值越小，标记角点的记号越小。

下图是最终结果：

现在已经对角点进行了标记，这个结果看起来很不错，因为所有的角点都被标成了红色。

6.1.2 使用 DoG 和 SIFT 进行特征提取与描述

前面介绍的 cornerHarris 函数可以很好地检测角点，这与角点本身的特性有关，这些角点在图像旋转的情况下也能被检测到。

然而，如果减小（或增加）图像的大小，可能会丢失图像的某些部分，甚至有可能增加角点的质量。

例如，看一下检测 F1 大奖赛意大利站赛道角点的结果：

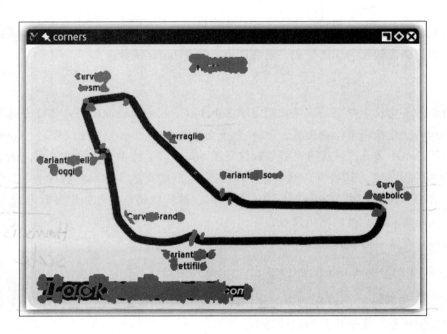

这里给出了该图较小版本的角点检测结果：

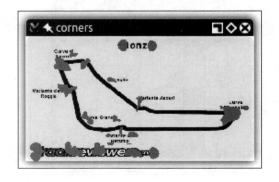

可以注意到角点在很大程度上被精减，然而，这个过程并不只是增加角点，也丢失一些角点！比如，在赛道 NW/SE 直线末端蜿蜒的 Variante Ascari 障碍处，就可以看到丢失了一些角点。在较大版本的图像中，会将入口和双弯曲的顶点检测为角点；在较小版本的图像中，顶点并不容易被检测到。图像越小，越有可能丢掉更多弯道的角点。

这样的特征损失现象需要一种与图像比例无关的角点检测方法来解决。虽然尺度不变特征变换（Scale-Invariant Feature Transform，SIFT）听起来有点陌生，但可以解决这个问题。需要一个函数（或变换）来检测特征（或进行特征变换），并且该函数会对不同的图像尺度（尺度不变特征变换）输出相同的结果。需要注意的是，SIFT 并不检测关键点（关键点可以由 Difference of Gaussians 检测），但 SIFT 会通过一个特征向量来描述关键点周围区域的情况。

下面简要介绍一下 Difference of Gaussians（DoG），前面专门通过 cv2.GaussianBlur() 函数讨论过低通滤波器和模糊操作。DoG 是对同一图像使用不同高斯滤波器所得到的结果。第 3 章使用 DoG 技术有效地检测了边缘，它们的原理是一致的。DoG 操作的最终结果会得到感兴趣的区域（关键点），这将通过 SIFT 来进行说明。

来看看如何通过 SIFT 得到充满角点和特征的图像：

现在，瓦雷泽（在意大利的伦巴第）的全景图也有了计算机视觉的意义，以下是用于获得这幅被处理过的图像的代码：

```
import cv2
import sys
import numpy as np

imgpath = sys.argv[1]
img = cv2.imread(imgpath)
```

```
gray = cv2.cvtColor(img, cv2.COLOR_BGR2GRAY)

sift = cv2.xfeatures2d.SIFT_create()
keypoints, descriptor = sift.detectAndCompute(gray,None)

img = cv2.drawKeypoints(image=img, outImage=img, keypoints =
  keypoints, flags = cv2.DRAW_MATCHES_FLAGS_DRAW_RICH_KEYPOINT,
    color = (51, 163, 236))

cv2.imshow('sift_keypoints', img)
while (True):
  if cv2.waitKey(1000 / 12) & 0xff == ord("q"):
    break
cv2.destroyAllWindows()
```

完成常规方法加载要处理的图像后，为了使脚本具有通用性，使用 Python 的 sys 模块将图像路径通过命令行参数传递给脚本：

```
imgpath = sys.argv[1]
img = cv2.imread(imgpath)

gray = cv2.cvtColor(img, cv2.COLOR_BGR2GRAY)
```

然后把图像变成灰度格式。现在可以看到：Python 中大多数的处理算法都需要图像为灰度格式。

下面的代码用于创建一个 SIFT 对象，并计算灰度图像：

```
sift = cv2.xfeatures2d.SIFT_create()
keypoints, descriptor = sift.detectAndCompute(gray,None)
```

SIFT 对象会使用 DoG 检测关键点，并且对每个关键点周围的区域计算特征向量，这是一个有趣并且重要的过程。由该方法的名称可知它只需要执行两个主要操作：检测和计算。操作的返回值是关键点信息（关键点）和描述符。

最后，在图像上绘制关键点，并用 imshow 函数显示这幅图像。

注意，这里将标志值 4 传给 drawKeypoints 函数，标志值 4 其实是下面这个 cv2 模块的属性值：

```
cv2.DRAW_MATCHES_FLAGS_DRAW_RICH_KEYPOINT
```

该代码对图像的每个关键点都绘制了圆圈和方向。

关键点剖析

从 OpenCV 提供的文档会发现关键点有如下属性定义：

```
pt
size
angle
response
octave
class_id
```

与其他属性相比，某些属性更容易通过名称来理解其功能，但任何事情都不要想当然，下面对每个定义的属性进行解释：

❑ pt（点）属性表示图像中关键点的 x 坐标和 y 坐标。

❑ size 属性表示特征的直径。

❑ angle 属性表示特征的方向，如前面那幅被处理过的图像所示。

❑ response 属性表示关键点的强度。某些特征会通过 SIFT 来分类，因为它得到的特征比其他特征更好，通过查看 response 属性可以评估特征强度。

❑ octave 属性表示特征所在金字塔的层级。如果要搞清楚这个属性，需要一章的内容进行说明，所以这里只介绍其基本概念。SIFT 算法与人脸检测算法类似，即只通过改变计算参数来依次处理相同的图像。

例如，算法在每次迭代（octave）时，作为参数的图像尺寸和相邻像素都会发生变化。因此，octave 属性表示的是检测到的关键点所在的层级。

❑ 对象 ID 表示关键点的 ID。

6.1.3 使用快速 Hessian 算法和 SURF 来提取和检测特征

计算机视觉是一门相对较新的计算机学科，其中的许多算法和技术都是最近才发明的。SIFT 算法是 David Lowe 于 1999 年发表的，距现在只有 16 年。

SURF 特征检测算法由 Herbert Bay 于 2006 年发表，该算法比 SIFT 快好几倍，它吸收了 SIFT 算法的思想。

 注意： SIFT 和 SURF 都受专利保护，因此，被归到 OpenCV 的 xfeatures2d 模块中。

本书并不介绍 SURF 的工作原理，只会在应用程序中使用，并让其有最好的表现。SURF 是 OpenCV 的一个类，了解这一点很重要，SURF 采用快速 Hessian 算法检测关键点，而 SURF 会提取特征，这和 SIFT 很像，SIFT 分别采用 DoG 和 SIFT 来检测关键点并提取关键点周围的特征。

此外，尽管 SURF 和 SIFT 这两个特征检测算法所提供的 API 不相同，但通过简单修改前面的脚本就可以动态选择特征检测算法，不必重写整个程序。

由于目前只需要支持两个算法，所以用简单的 if 语句块就可将其集成到一起，具体代码如下：

```python
import cv2
import sys
import numpy as np

imgpath = sys.argv[1]
img = cv2.imread(imgpath)
alg = sys.argv[2]

def fd(algorithm):
  if algorithm == "SIFT":
    return cv2.xfeatures2d.SIFT_create()
  if algorithm == "SURF":
    return cv2.xfeatures2d.SURF_create(float(sys.argv[3]) if
      len(sys.argv) == 4 else 4000)

gray = cv2.cvtColor(img, cv2.COLOR_BGR2GRAY)

fd_alg = fd(alg)
keypoints, descriptor = fd_alg.detectAndCompute(gray,None)

img = cv2.drawKeypoints(image=img, outImage=img, keypoints =
  keypoints, flags = 4, color = (51, 163, 236))

cv2.imshow('keypoints', img)
while (True):
  if cv2.waitKey(1000 / 12) & 0xff == ord("q"):
    break
cv2.destroyAllWindows()
```

下图为给定阈值下 SURF 所得的结果：

这幅图像是由 SURF 算法处理的，所采用的 Hessian 阈值为 8000。具体而言，它运行了下面的命令行：

```
> python feat_det.py images/varese.jpg SURF 8000
```

阈值越高，能识别的特征就越少，因此可以采用试探法来得到最优检测。在前面的例子中，可以清楚地看到算法会将个别建筑物检测为特征。

在第 4 章提到过一个类似的处理方法。在计算视差图（disparity map）时，读者可做这样的练习：创建一个滑动条（trackbar）用来为 SURF 实例提供 Hessian 阈值，可以看到特征会随阈值的增加而减少。

现在介绍 FAST 角点检测、BRIEF 关键点描述符和 ORB（FAST 与 BRIEF 的结合）以及如何有效利用特征检测。

6.1.4　基于 ORB 的特征检测和特征匹配

如果说 SIFT 是一种新算法，则 SURF 是一种更加新的算法，而 ORB 则处于起步阶段。ORB 是用来替代 SIFT 和 SURF 的，与二者相比，ORB 有更快的速度。ORB 在 2011 年才首次发布。

在论文 "ORB: an efficient alternative to SIFT or SURF" 中提出了 ORB，该论文的 PDF 格式可在 http://www.vision.cs.chubu.ac.jp/CV-R/ pdf / Rublee_iccv2011.pdf 下载。

ORB 将基于 FAST 关键点检测的技术和基于 BRIEF 描述符的技术相结合，因此下面首先学习 FAST 和 BRIEF，然后再讨论 Brute-Force 匹配（其中的一种特征匹配算法），并展示一个特征匹配的例子。

1. FAST

FAST（Features from Accelerated Segment Test）算法会在像素周围绘制一个圆，该圆包括 16 个像素，这是一种不错的方法。然后，FAST 会将每个像素与加上一个阈值的圆心像素值进行比较，若有连续、比加上一个阈值的圆心的像素值还亮或暗的像素，则可认为圆心是角点。

FAST 实现了一个高速的测试，该测试试图避免测试全部 16 个像素。要了解该测试原理，可观察下面这张截图：

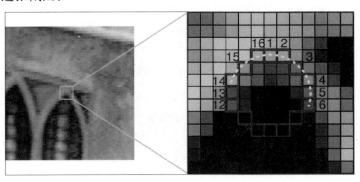

如图所示，四分之三的测试像素（这些测试像素分别为 1、9、5 和 13）必须在阈值以内（或以外），并将相应像素标记为更亮或更暗，另外四分之一的测试像素必须在该阈值的另一侧。如果所有的像素都标记为更亮或更暗，或两个标记为更亮，而另外两个标记为更暗，那么像素就不是候选角点。

FAST 是一个非常不错的算法，但并不是无懈可击的。为了克服它的缺点，开发人员分析图像之后认为可对图像使用机器学习的方法，即对算法输入一组图像（与应用程序相关），以此来对角点检测进行优化。

尽管这样，但 FAST 方法与阈值紧密相关，这就要求开发人员输入参数（SIFT 不需要这样的输入）。

2. BRIEF

从另一方面说，BRIEF（Binary Robust Independent Elementary Features）并不是特征检测算法，它只是一个描述符。下面先解释什么是描述符，然后再来介绍 BRIEF。

在前面使用 SIFT 和 SURF 分析图像时，可以看到整个处理的核心其实是 detectAndCompute 函数。该函数包括两步：检测和计算，如果将这两步的结果以元组形式输出，detectAndCompute 函数会返回两种不同的结果。

检测结果是一组关键点，计算结果是描述符。这意味着 OpenCV 的 SIFT 类和 SURF 类既是检测器也是描述符（尽管算法本身并不是这样的！ OpenCV 的 SIFT 是 DoG 和 SIFT 的组合，SURF 是快速 Hessian 和 SURF 的组合）。

关键点描述符是图像的一种表示，因为可以比较两个图像的关键点描述符，并找到它们的共同之处，所以描述符可以作为特征匹配的一种方法（gateway）。

BRIEF 是目前最快的描述符，其理论相当复杂，但 BRIEF 采用了一系列的优化措施，使其成为不错的特征匹配方法。

3. 暴力匹配

暴力（Brute-Force）匹配方法是一种描述符匹配方法，该方法会比较两个描述符，并产生匹配结果的列表。称为暴力匹配的原因是该算法基本上不涉及优化，第一个描述符的所有特征都用来和第二个描述符的特征进行比较。每次比较都会给出一个距离值，而最好的比较结果会被认为是一个匹配。

这就是该算法被称为暴力的原因。在计算中，暴力往往与穷举所有可能的组合（比如穷举所有可能字符的组合来破解密码）有关，这些组合通常会具有某种巧妙且令人费解的逻辑。 OpenCV 专门提供了 BFMatcher 对象来实现暴力匹配。

6.1.5　ORB 特征匹配

到目前为止，读者应该大概知道什么是 FAST 和 BRIEF，应该也明白为什么 ORB 开发团队（当前由 Ethan Rublee、Vincent Rabaud、Kurt Konolige 和 Gary R. Bradski 组成）选择这两种算法作为 ORB 的基础。

在 ORB 的论文中，作者得到了如下结果：

❑ 向 FAST 增加一个快速、准确的方向分量（component）

❑ 能高效计算带方向的 BRIEF 特征

❑ 基于带方向的 BRIEF 特征的方差分析和相关性分析

❑ 在旋转不变性条件下学习一种不相关的 BRIEF 特征，这会在最邻近的应用中得到较好的性能

除了一些不常见的技术性术语以外，相关的要点已经很清楚了。ORB 旨在优化和加快操作速度，包括非常重要的一步：以旋转感知（rotation-aware）的方式使用 BRIEF，这样即使在训练图像与查询图像之间旋转差别很大的情况下也能够提高匹配效果。

在已经掌握足够的理论知识后，就可以实现特征匹配了。具体代码如下：

作为一名忠实的音乐听众，马上想到的例子是得到乐队的标志，并将该标志与乐队专辑进行匹配：

```python
import numpy as np
import cv2
from matplotlib import pyplot as plt

img1 = cv2.imread('images/manowar_logo.png',cv2.IMREAD_GRAYSCALE)
img2 = cv2.imread('images/manowar_single.jpg',
  cv2.IMREAD_GRAYSCALE)

orb = cv2.ORB_create()
kp1, des1 = orb.detectAndCompute(img1,None)
kp2, des2 = orb.detectAndCompute(img2,None)
bf = cv2.BFMatcher(cv2.NORM_HAMMING, crossCheck=True)
matches = bf.match(des1,des2)
matches = sorted(matches, key = lambda x:x.distance)
img3 = cv2.drawMatches(img1,kp1,img2,kp2, matches[:40],
  img2,flags=2)
plt.imshow(img3),plt.show()
```

现在来一步步介绍代码。

首先加载两幅图像（查询图像和训练图像）。

需要注意的是，加载图像的第二个参数被设为 0，这是因为 cv2.imread 的第二个参数是以下标志之一：

```
IMREAD_ANYCOLOR = 4
IMREAD_ANYDEPTH = 2
IMREAD_COLOR = 1
IMREAD_GRAYSCALE = 0
IMREAD_LOAD_GDAL = 8
IMREAD_UNCHANGED = -1
```

其中，**cv2.IMREAD_GRAYSCALE** 等于 0，可以传递标志本身，也可以传递标志值，这其实都一样。

这是加载的第一张图片：

这是加载的另一张图片：

现在，开始创建 ORB 特征检测器和描述符：

```
orb = cv2.ORB_create()
kp1, des1 = orb.detectAndCompute(img1,None)
kp2, des2 = orb.detectAndCompute(img2,None)
```

与 SIFT 和 SURF 的操作一样，对查询图像和训练图像都要进行检测，然后计算关键点和描述符。

匹配非常简单：遍历描述符，确定描述符是否已经匹配，然后计算匹配质量（距离）并排序，这样就可以在一定置信度下显示前 n 个匹配，以此得到哪两幅图像是匹配的。

暴力匹配 **BFMatcher** 实现了匹配：

```
bf = cv2.BFMatcher(cv2.NORM_HAMMING, crossCheck=True)
matches = bf.match(des1,des2)
matches = sorted(matches, key = lambda x:x.distance)
```

现在已经获得了所有需要的信息，但计算机视觉很重视视觉数据的表示，这可用 matplotlib 图表来绘制这些匹配：

```
img3 = cv2.drawMatches(img1,kp1,img2,kp2, matches[:40], img2,flags=2)
plt.imshow(img3),plt.show()
```

结果如下：

6.1.6　K-最近邻匹配

有许多可以用来检测匹配的算法，从而可以绘制这些匹配。K-最近邻（KNN）是其中一个匹配检测算法。对不同任务使用不同算法很有好处，因为每种算法都有自己的优点和缺点。有些算法可能会比其他算法更准确，有些算法会更快（或计算代价更小），所以需要根据任务来决定使用哪一种算法。

例如，如果有硬件限制，就可以选择计算成本更低的算法。如果是开发实时应用程序，就可以选择最快的算法，而不管该算法耗用多少处理器和内存。

在所有机器学习的算法中，KNN 可能是最简单的，其背后的理论也很有趣（本书不再详述）。下面简单介绍如何在应用程序中使用 KNN，这和前面的例子有很大不同。

重要的是：若在脚本中使用 KNN，只需要对前面的脚本进行两方面的修改：（1）用 KNN 代替暴力匹配；（2）对绘制匹配的地方进行修改，具体代码如下：

```
import numpy as np
import cv2
from matplotlib import pyplot as plt

img1 = cv2.imread('images/manowar_logo.png',0)
img2 = cv2.imread('images/manowar_single.jpg',0)

orb = cv2.ORB_create()
kp1, des1 = orb.detectAndCompute(img1,None)
kp2, des2 = orb.detectAndCompute(img2,None)
bf = cv2.BFMatcher(cv2.NORM_HAMMING, crossCheck=True)
matches = bf.knnMatch(des1,des2, k=2)
img3 = cv2.drawMatchesKnn(img1,kp1,img2,kp2, matches,
  img2,flags=2)
plt.imshow(img3),plt.show()
```

最后的结果和前面的有些类似。 match 函数和 knnMatch 函数到底有什么区别呢？区别在于：match 函数返回最佳匹配，KNN 函数返回 k 个匹配，开发人员用 knnMatch 可进一步处理这些匹配。

例如，可以遍历匹配，并采用比率测试来过滤掉不满足用户定义条件的匹配。

6.1.7　FLANN 匹配

最后，简单介绍近似最近邻的快速库（Fast Library for Approximate Nearest Neighbors ，FLANN)，FLANN 的官方网站为 http://www.cs.ubc.ca/research/flann/。

像 ORB 一样，FLANN 比 SIFT 或 SURF 有更宽松的许可协议，可以在项目中自由使用。引用 FLANN 网站的一句话：

"FLANN is a library for performing fast approximate nearest neighbor searches in high dimensional spaces. It contains a collection of algorithms we found to work best for nearest neighbor search and a system for automatically choosing the best algorithm and optimum parameters depending on the dataset.

FLANN is written in C++ and contains bindings for the following languages: C, MATLAB and Python."

换句话说，FLANN 具有一种内部机制，该机制可以根据数据本身选择最合适的算法来处理数据集。经验证，FLANN 比其他的最近邻搜索软件快 10 倍。

在 GitHub 上可以找到 FLANN，网址为 https://github.com/mariusmuja/flann。根据作者的经验，基于 FLANN 的匹配非常准确、快速，使用起来也很方便。

下面是一个基于 FLANN 进行特征匹配的例子：

```
import numpy as np
import cv2
from matplotlib import pyplot as plt

queryImage = cv2.imread('images/bathory_album.jpg',0)
trainingImage = cv2.imread('images/vinyls.jpg',0)

# create SIFT and detect/compute
sift = cv2.xfeatures2d.SIFT_create()
kp1, des1 = sift.detectAndCompute(queryImage,None)
kp2, des2 = sift.detectAndCompute(trainingImage,None)

# FLANN matcher parameters
FLANN_INDEX_KDTREE = 0
indexParams = dict(algorithm = FLANN_INDEX_KDTREE, trees = 5)
searchParams = dict(checks=50)    # or pass empty dictionary

flann = cv2.FlannBasedMatcher(indexParams,searchParams)

matches = flann.knnMatch(des1,des2,k=2)

# prepare an empty mask to draw good matches
matchesMask = [[0,0] for i in xrange(len(matches))]

# David G. Lowe's ratio test, populate the mask
for i,(m,n) in enumerate(matches):
    if m.distance < 0.7*n.distance:
        matchesMask[i]=[1,0]

drawParams = dict(matchColor = (0,255,0),
                  singlePointColor = (255,0,0),
                  matchesMask = matchesMask,
                  flags = 0)

resultImage =
  cv2.drawMatchesKnn(queryImage,kp1,trainingImage,kp2,matches,
    None,**drawParams)

plt.imshow(resultImage,), plt.show()
```

现在读者对上面脚本中的某些部分（导入模块、加载图像和创建 SIFT 对象）已经很熟悉了。

　注意：FLANN 匹配器的声明很有意思，声明文档可在如下网站查到：http:// www.cs.ubc.ca/~mariusm/uploads/FLANN/flann_manual-1.6.pdf。

FLANN 匹配器有两个参数：indexParams 和 searchParams。这两个参数在 Python 中以字典形式进行参数传递（在 C ++ 中以结构体形式进行参数传递），为了计算匹配，FLANN

内部会决定如何处理索引和搜索对象。

这种情况下，可以选择 LinearIndex、KTreeIndex、KMeansIndex、CompositeIndex 和 AutotuneIndex，这里选择 KTreeIndex。KTreeIndex 配置索引很简单（只需要指定待处理核密度树的数量，最理想的数量在 1 ~ 16 之间），并且 KTreeIndex 非常灵活（kd-trees 可被并行处理）。searchParams 字典只包含一个字段（名为 checks），用来指定索引树要被遍历的次数，该值越高，计算匹配花费的时间越长，但也会越准确。

实际上，匹配效果很大程度上取决于输入。5 kd-trees 和 50 checks 总能取得具有合理精度的结果，而且在很短的时间内就能完成。

在创建 FLANN 匹配器以及匹配数组之后，可根据 Lowe 在其论文"Distinctive Image Features from Scale-Invariant Keypoints"中所描述的测试来对匹配进行过滤，该论文可在 https://www.cs.ubc.ca/~lowe/papers/ijcv04.pdf 下载。

在这篇论文的 Application to object recognition 这一章中，Lowe 指出：并非所有的匹配都是"好"的，在任意阈值下过滤匹配几乎不能得到好的匹配结果，其原因如下：

"The probability that a match is correct can be determined by taking the ratio of distance from the closest neighbor to the distance of the second closest."

在上面的例子中，若丢弃任何距离大于 0.7 的值，则可以避免几乎 90% 的错误匹配，但得到的"好"匹配也会很少。

来看一下 FLANN 实例所得的结果。下图为该脚本的查询图像：

下面是训练图像：

在这个网格中，可能会注意到在图像的（5,3）位置包含一幅查询图像。下图为 FLANN 处理的结果，真是完美的匹配！

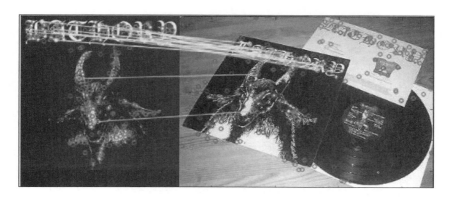

6.1.8 FLANN 的单应性匹配

首先，什么是单应性？可在网上查到如下定义：

"A relation between two figures, such that to any point of the one corresponds one and but one point in the other, and vise versa. Thus, a tangent line rolling on a circle cuts two fixed tangents of the circle in two sets of points that are homographic."

如果不能理解上面的定义，可参考这个更容易理解的解释：单应性是一个条件，该条件表明当两幅图像中的一幅出现投影畸变（perspective distortion）时，它们还能彼此匹配。

与前面所有的例子不同，这次首先需要明白最终要得到的结果是什么，这样可以充分理解什么是单应性，然后，再学习代码。最终结果如下：

从上图可看到：在左边有一幅图像，该图像正确识别了右侧的图像，画出了关键点之间的匹配线段，而且还画了一个白色边框，用来展示图像原（seed）目标在右侧发生投影畸变的效果：

```python
import numpy as np
import cv2
from matplotlib import pyplot as plt

MIN_MATCH_COUNT = 10

img1 = cv2.imread('images/bb.jpg',0)
img2 = cv2.imread('images/color2_small.jpg',0)

sift = cv2.xfeatures2d.SIFT_create()
kp1, des1 = sift.detectAndCompute(img1,None)
kp2, des2 = sift.detectAndCompute(img2,None)

FLANN_INDEX_KDTREE = 0
index_params = dict(algorithm = FLANN_INDEX_KDTREE, trees = 5)
search_params = dict(checks = 50)

flann = cv2.FlannBasedMatcher(index_params, search_params)

matches = flann.knnMatch(des1,des2,k=2)

# store all the good matches as per Lowe's ratio test.
good = []
for m,n in matches:
    if m.distance < 0.7*n.distance:
        good.append(m)

if len(good)>MIN_MATCH_COUNT:
```

```
    src_pts = np.float32([ kp1[m.queryIdx].pt for m in good
        ]).reshape(-1,1,2)
    dst_pts = np.float32([ kp2[m.trainIdx].pt for m in good
        ]).reshape(-1,1,2)

    M, mask = cv2.findHomography(src_pts, dst_pts, cv2.RANSAC,5.0)
    matchesMask = mask.ravel().tolist()

    h,w = img1.shape
    pts = np.float32([ [0,0],[0,h-1],[w-1,h-1],[w-1,0]
        ]).reshape(-1,1,2)
    dst = cv2.perspectiveTransform(pts,M)

    img2 = cv2.polylines(img2,[np.int32(dst)],True,255,3,
        cv2.LINE_AA)
else:
    print "Not enough matches are found - %d/%d" %
        (len(good),MIN_MATCH_COUNT)
    matchesMask = None

draw_params = dict(matchColor = (0,255,0), # draw matches in green
    color
                    singlePointColor = None,
                    matchesMask = matchesMask, # draw only inliers
                    flags = 2)

img3 = cv2.drawMatches(img1,kp1,img2,kp2,good,None,**draw_params)

plt.imshow(img3, 'gray'),plt.show()
```

与前面基于 FLANN 匹配的示例相比，唯一的差别（这是产生所有操作的地方）在 if
模块。

下面详细解释这段代码：首先，要确保至少有一定数目的良好匹配（计算单应性最少需
要 4 个匹配），将其设定为 10（在实际中，可能会使用一个比 10 大的值）：

```
if len(good)>MIN_MATCH_COUNT:
```

然后在原始图像和训练图像中发现关键点：

```
src_pts = np.float32([ kp1[m.queryIdx].pt for m in good
    ]).reshape(-1,1,2)
dst_pts = np.float32([ kp2[m.trainIdx].pt for m in good
    ]).reshape(-1,1,2)
```

单应性是

```
M, mask = cv2.findHomography(src_pts, dst_pts, cv2.RANSAC,5.0)
matchesMask = mask.ravel().tolist()
```

注意，这里创建的 matchesMask 将在最后用来绘制匹配图，从而 matchesMask 可以只绘制单应性图像中关键点的匹配线。

现在，只需要对第二张图像计算相对于原始目标的投影畸变，并可以绘制边框：

```
h,w = img1.shape
pts = np.float32([ [0,0],[0,h-1],[w-1,h-1],[w-1,0] ]).reshape(-
    1,1,2)
dst = cv2.perspectiveTransform(pts,M)
img2 = cv2.polylines(img2,[np.int32(dst)],True,255,3, cv2.LINE_AA)
```

接下来的绘图过程跟前面所有的例子一样。

6.1.9 基于文身取证的应用程序示例

用现实生活中的一个（或一类）例子来对本章的知识进行总结。假设你就职于纽约市（Gotham）的取证部门，需要识别文身。现在，已经有了罪犯文身的原始照片（假设这个图片来自 CCTV），虽然还不知道罪犯的身份，但已经拥有了文身数据库，因此可以通过文身照片来查询文身者的名字。

因此可将任务分成两部分：首先将图像描述符保存到文件中，然后利用该照片作为查询图像，在数据库中检索匹配的图像。

1. 将图像描述符保存到文件中

将图像描述符保存在外部文件中的好处是，当两幅图像进行匹配和单应性分析时，不用每次都重建描述符。

应用程序会扫描保存图像的文件夹，并创建相应的描述符文件，可供后面搜索时使用。

创建描述符并保存到文件中的方法在本章多次使用，这个过程是加载图像、创建特征检测器、检测并计算：

```
# generate_descriptors.py
import cv2
import numpy as np
from os import walk
from os.path import join
import sys

def create_descriptors(folder):
  files = []
  for (dirpath, dirnames, filenames) in walk(folder):
    files.extend(filenames)
  for f in files:
    save_descriptor(folder, f, cv2.xfeatures2d.SIFT_create())

def save_descriptor(folder, image_path, feature_detector):
```

```
    img = cv2.imread(join(folder, image_path), 0)
    keypoints, descriptors = feature_detector.detectAndCompute(img,
      None)
    descriptor_file = image_path.replace("jpg", "npy")
    np.save(join(folder, descriptor_file), descriptors)

dir = sys.argv[1]

create_descriptors(dir)
```

需要将存放所有图像的文件夹名传递给这个脚本，然后在同一文件夹中创建所有描述符文件。

NumPy 有一个非常方便的 save() 函数，该函数可以采用优化方式将数组数据保存到一个文件中。为了在脚本所在的文件夹中生成描述符，可运行下面的命令：

```
> python generate_descriptors.py <folder containing images>
```

注意，cPickle/pickle 是 Python 较流行的对象序列化库。但是本例的这种特定背景不方便使用 OpenCV 以及 Python 的 NumPy 模块和 SciPy 模块。

2. 扫描匹配

在将描述符保存到文件后，接下来需要对所有描述符进行单应性处理，由此找到可能与查询图像匹配的图像。

步骤如下：

❑ 加载查询图像，并为其创建描述符（tattoo_seed.jpg）

❑ 扫描文件夹中的描述符

❑ 对于每一个描述符，通过 FLANN 来计算匹配

❑ 如果匹配数目超过了给定阈值，包括潜在罪犯的档案（这里是在调查罪犯）

❑ 对于所有匹配的罪犯，认为匹配数量最多的图像是潜在的犯罪嫌疑人

下面是这个查询的实现代码：

```
from os.path import join
from os import walk
import numpy as np
import cv2
from sys import argv

# create an array of filenames
folder = argv[1]
query = cv2.imread(join(folder, "tattoo_seed.jpg"), 0)

# create files, images, descriptors globals
files = []
```

```python
images = []
descriptors = []
for (dirpath, dirnames, filenames) in walk(folder):
  files.extend(filenames)
  for f in files:
    if f.endswith("npy") and f != "tattoo_seed.npy":
      descriptors.append(f)
  print descriptors

# create the sift detector
sift = cv2.xfeatures2d.SIFT_create()
query_kp, query_ds = sift.detectAndCompute(query, None)

# create FLANN matcher
FLANN_INDEX_KDTREE = 0
index_params = dict(algorithm = FLANN_INDEX_KDTREE, trees = 5)
search_params = dict(checks = 50)
flann = cv2.FlannBasedMatcher(index_params, search_params)

# minimum number of matches
MIN_MATCH_COUNT = 10

potential_culprits = {}

print ">> Initiating picture scan..."
for d in descriptors:
  print "--------- analyzing %s for matches ------------" % d
  matches = flann.knnMatch(query_ds, np.load(join(folder, d)), k
    =2)
  good = []
  for m,n in matches:
      if m.distance < 0.7*n.distance:
          good.append(m)
  if len(good) > MIN_MATCH_COUNT:
    print "%s is a match! (%d)" % (d, len(good))
  else:
    print "%s is not a match" % d
  potential_culprits[d] = len(good)

max_matches = None
potential_suspect = None
for culprit, matches in potential_culprits.iteritems():
  if max_matches == None or matches > max_matches:
    max_matches = matches
    potential_suspect = culprit

print "potential suspect is %s" % potential_suspect.replace("npy",
  "").upper()
```

将这个脚本保存为 scan_for_matches.py，该脚本使用了 numpy.load（filename），它会加

载 npy 文件到 np 数组中。

运行该脚本生成以下输出：

```
>> Initiating picture scan...
--------- analyzing posion-ivy.npy for matches ------------
posion-ivy.npy is not a match
--------- analyzing bane.npy for matches ------------
bane.npy is not a match
--------- analyzing two-face.npy for matches ------------
two-face.npy is not a match
--------- analyzing riddler.npy for matches ------------
riddler.npy is not a match
--------- analyzing penguin.npy for matches ------------
penguin.npy is not a match
--------- analyzing dr-hurt.npy for matches ------------
dr-hurt.npy is a match! (298)
--------- analyzing hush.npy for matches ------------
hush.npy is a match! (301)
potential suspect is HUSH.
```

下图为这种方式下得到的结果。

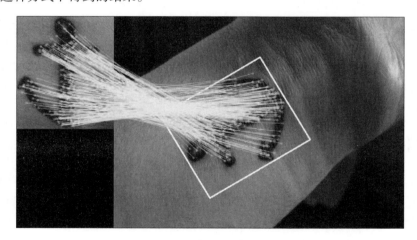

6.2 总结

本章介绍了如何检测图像特征以及如何为描述符提取特征，探讨了如何通过 OpenCV 提供的算法完成这个任务，然后介绍了实际场景的应用，从而可理解这些概念在真实世界中的应用。

现在已经熟悉了检测一幅图像（或视频帧）特征的概念，这为学习下一章打下了良好的基础。

第 7 章

目标检测与识别

本章将介绍目标检测和识别，这是计算机视觉中最常见的挑战之一，也是本书要讨论的高级主题。该主题也许会让读者联想到若在车里安装一台计算机，然后通过摄像头能否准确获取该车周围的汽车以及行人的情况。其实，现在离实现这个目标已经不太远了。

本章将扩展目标检测的概念，首先探讨人脸识别技术，然后将该技术应用到现实生活中的各种目标检测。

7.1 目标检测与识别技术

为了与第 5 章进行区分，需重新说明一下：目标检测是一个程序，它用来确定图像的某个区域是否含有要识别的对象，对象识别是程序识别对象的能力。识别通常只处理已检测到对象的区域，例如，人们总是会在有人脸图像的区域去识别人脸。

在计算机视觉中有很多目标检测和识别的技术，本章会用到：

- 梯度直方图（Histogram of Oriented Gradient）
- 图像金字塔（image pyramid）
- 滑动窗口（sliding window）

与特征检测算法不同，这些算法是互补的。比如，在梯度直方图（Histogram of Oriented Gradient，HOG）中会使用滑动窗口技术。

下面介绍 HOG 描述符。

7.1.1 HOG 描述符

HOG 是一个特征描述符，因此 HOG 与 SIFT、SURF 和 ORB 属于同一类型的描述符。

在图像和视频处理中常常会进行目标检测。其内部机制都差不多：将图像划分成多个部分，并计算各个部分的梯度。前面曾介绍过类似的方法，比如，用于人脸识别的 LBPH 描述符。

HOG 不是基于颜色值而是基于梯度来计算直方图的。HOG 所得到的特征描述符能够为特征匹配和目标检测（或目标识别）提供非常重要的信息。

在深入介绍 HOG 的原理之前，先来看看 HOG 得到的特征描述符是什么样的。下图是一个卡车图像：

下图为 HOG 对卡车图像所提取的特征：

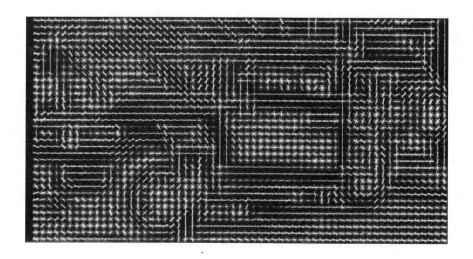

HOG 提取的卡车图像的特征可以很容易地识别车轮以及车辆的主要结构。HOG 是怎样提取特征的呢？首先，可以看到卡车图像被分成了小单元，每个小单元是 16×16 的像素块，每个单元都包含了视觉表示，该视觉表示是按八个方向（N，NW，W，SW，S，SE，E 和 NE）所计算的颜色梯度。

每个单元的八个值就为直方图，因此，每个单元都会有唯一的标识（signature），如果你想象一下，会在大脑中"浮现"出下面这幅图：

将直方图外推（extrapolation）成描述符是相当复杂的过程。首先计算每个单元的局部直方图，这些单元会合成较大的区域，也称为块（block）。块可以由任意多个单元组成，但 Dalal 和 Triggs（译者注：HOG 的发明人）发现当进行人检测时，一个块包含 2×2 的单元时可以得到最好的效果。按块来构成特征向量是为了便于归一化，同时也考虑到了光照和阴影（shadowing）的变化（一个单元的区域太小，不能检测到这样的变化）。这样做减少了图像与块之间光照和阴影的差异，从而提高了检测精度。

仅仅比较两幅图像的单元是行不通的，除非这两幅图像相同（从大小和数据两方面而言）。还有两个主要的问题需要解决：

❑ 位置
❑ 尺度（scale）

1. 尺度问题

对于这个问题，可通过例子来说明：假如要检测的目标（比如自行车）是较大图像中的一部分，要对两幅图像进行比较。如果在比较过程中找不到一组相同的梯度，则检测就会失败（即使两幅图像都有自行车）。

2. 位置问题

在解决了尺度问题后，还有另外一个问题：要检测的目标可能位于图像的任何地方，所以需要扫描图像的各个部分，以确保能找到感兴趣的区域，并且在这些区域中去尝试检测目标。即使待检测图像中的目标和训练图像中的目标一样大，也需要通过某种方式让 OpenCV 定位该目标。因此，只对有可能存在目标的区域进行比较，而该图像的其余部分会被丢弃。

为了解决这些问题，需要熟悉图像金字塔和滑动窗口的概念。

（1）图像金字塔

计算机视觉中的许多算法都会用到金字塔（pyramid）的概念。

图像金字塔是图像的多尺度表示，下图有助于理解这个概念：

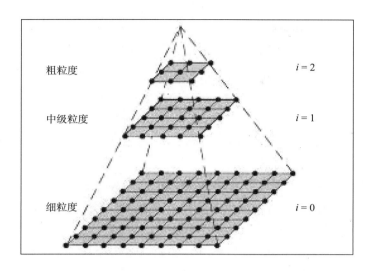

图像的多尺度表示（或图像金字塔）有助于解决不同尺度下的目标检测问题。生活中铁的事实告诉我们多尺度的概念很重要，比如要识别的目标正好与训练数据集中的目标有相同的尺度。

此外，还会学习目标分类器（这个功能可用 OpenCV 来检测目标），可通过训练得到这个分类器，训练需要图像数据库，这个数据库由正匹配（positive match）和负匹配（negative match）构成。需要注意，在整个训练数据集的正匹配中同一目标不可能都一样大。

这就是需要具有多种尺度图像的原因，下面介绍如何构建图像金字塔。

可通过以下过程来构建图像金字塔：

1）获取图像。

2）使用任意尺度的参数来调整（缩小）图像的大小。

3）平滑图像（使用高斯模糊）。

4）如果图像比最小尺寸还大，从第1步开始重复这个过程。

尽管本书到现在为止只介绍了图像金字塔、尺度比率以及最小尺寸，其实在前面接触过这方面的内容。第5章的 CascadeClassifier 对象所使用的 detectMultiScale 方法就涉及这些内容。

从函数 detectMultiScale 的命名来看，它的作用并不是那么晦涩难懂。级联分类器对象尝试在输入图像的不同尺度下检测对象。detectMultiScale() 函数的 scaleFactor 参数也有很明确的意义。该参数表示一个比率，即在每层金字塔中所获得的图像与上一层图像的比率。

scaleFactor 参数越小，金字塔的层级便越多，计算会更慢，计算量也会更大，但是，在某种程度上会获得更准确的结果。

至此，读者已经了解了什么是图像金字塔以及为什么将图像金字塔用于计算机视觉中。接下来将学习滑动窗口。

（2）滑动窗口

滑动窗口是用于计算机视觉的一种技术，它包括图像中要移动部分（滑动窗口）的检查以及使用图像金字塔对各部分进行检测。这是为了在多尺度下检测对象。

滑动窗口通过扫描较大图像的较小区域来解决定位问题，进而在同一图像的不同尺度下重复扫描。

这种技术需要将每幅图像分解成多个部分，然后丢掉那些不太可能包含对象的部分，并对剩余部分进行分类。

使用这个方法会有一个问题：区域重叠（overlapping region）。

为了解释清楚这个问题，可稍微扩展一下区域重叠的概念。区域重叠指的是在对图像执行人脸检测时使用滑动窗口。

每个窗口每次都会丢掉（slide off）几个像素，这意味着一个滑动窗口可以对同一张人脸的四个不同位置进行正匹配。当然，只需要一个匹配结果，而不是四个。此外，这里对有良好评分的图像区域不感兴趣，而是对有最高评分的图像区域感兴趣。

这带来了另一个问题：非最大抑制。它是指给定一组重叠区域，可以用最大评分来抑制所有未分类区域。

3. 非最大（或非极大）抑制

非最大（或非极大）抑制是一种与图像同一区域相关的所有结果进行抑制的技术，这些区域没有最大评分。这是因为同样排放（colocate）的窗口往往具有更高的评分，并且重叠区域会变得明显，但是这里只关心结果最好的窗口，并丢弃评分较低的重叠窗口。

当采用滑动窗口检查图像时，要从一系列窗口中保留最佳窗口，并且所有重叠都是围绕着同一主题进行的。

为此，大于阈值 x 的所有窗口通常都要进行非最大抑制操作。

这已变得相当复杂，但处理过程还没有结束。还记得图像金字塔吗？在较小尺度下反复扫描图像，以确保在不同尺度下检测对象。

这意味着将在不同尺度下获得一系列的窗口，然后，用与在原始尺度下进行检测相同的方法来计算较小尺度下的窗口大小，最后，把这个窗口号与原始窗口放在一起。

这个过程有点复杂，值得庆幸的是，在之前已经有人碰到过这样的问题了，他们已通过多种方法解决了该问题。根据个人经验，最快的算法是由 Tomasz Malisiewicz 博士实现的：http://www.computervisionblog.com/2011/08/blazing-fast-nmsm-from-exemplar-svm.html，这个例子是基于 MATLAB 的，在本书的应用示例中，会使用 Python 版本来实现。

实现非最大抑制算法需要如下过程：

1）一旦建立图像金字塔，为了检测目标，可采用滑动窗口来搜索图像。

2）收集当前所有含有目标的窗口（超出一定任意阈值），并得到有最高响应的窗口 W。

3）消除所有与 W 有明显重叠的窗口。

4）移动到下一个有最高响应的窗口，在当前尺度下重复上述过程。

在这个过程完成后，移动图像金字塔的下一个尺度，并重复前面的过程。为了确保窗口在整个非最大抑制过程结束时能正确地表示，一定要计算相对于图像原始尺寸的窗口大小（例如，在金字塔中，如果在只有原始尺寸 50% 的尺度下检测一个窗，那么检测的窗口实际上是原始图像大小的四分之一）。

上述过程结束后，会得到一系列评分最高的窗口。另外，可以检查完全包含在其他窗口中的窗口（像本章开头介绍的人检测过程）并消除这些窗口。

如何确定窗口的评分呢？需要一个分类系统来确定某一特征是否存在，并且对这种分类会有一个置信度评分，这里采用支持向量机（SVM）来分类。

4. 支持向量机

详细解释什么是 SVM 已经超出了本书的范围。简单地讲，SVM 是一种算法，对于带有标签的训练数据，通过一个优化的超平面来对这些数据进行分类。这个最优超平面就是用来区分不同类数据的。下面这幅图有助于理解 SVM。

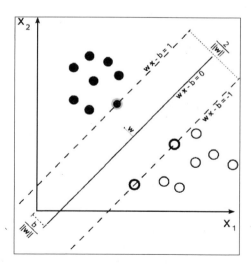

为什么支持向量机对于计算机视觉和目标检测如此有用？这是因为 SVM 的最优超平面是目标检测的重要组成部分，用来区分哪些像素是目标，哪些像素不是目标。

自 20 世纪 60 年代初，SVM 模型就已经出现，但是，SVM 当前的实现形式源于 1995

年 Corinna Cortes 和 Vadimir Vapnik 的论文，该论文可从网站 http://link.springer.com/article/ 10.1007/BF00994018 查阅。

到目前为止，已经详细介绍了目标检测的概念，接下来会介绍一些具体例子。从内建 (build-in) 函数开始，然后介绍自定义目标检测器。

7.1.2 检测人

OpenCV 自带的 HOGDescriptor 函数可检测人。

下面是一个非常简单的例子：

```
import cv2
import numpy as np

def is_inside(o, i):
    ox, oy, ow, oh = o
    ix, iy, iw, ih = i
    return ox > ix and oy > iy and ox + ow < ix + iw and oy + oh <
        iy + ih

def draw_person(image, person):
  x, y, w, h = person
  cv2.rectangle(img, (x, y), (x + w, y + h), (0, 255, 255), 2)

img = cv2.imread("../images/people.jpg")
hog = cv2.HOGDescriptor()
hog.setSVMDetector(cv2.HOGDescriptor_getDefaultPeopleDetector())

found, w = hog.detectMultiScale(img)

found_filtered = []
for ri, r in enumerate(found):
    for qi, q in enumerate(found):
        if ri != qi and is_inside(r, q):
            break
    else:
        found_filtered.append(r)

for person in found_filtered:
  draw_person(img, person)

cv2.imshow("people detection", img)
cv2.waitKey(0)
cv2.destroyAllWindows()
```

在导入模块之后，定义两个非常简单的函数：is_inside 和 draw_person，它们会完成两个最简单的任务，即确定某矩形是否完全包含在另一个矩形中，并绘制矩形来框住检测到的人。

然后加载图像，并通过如下方法调用 HOGDescriptor：

```
cv2.HOGDescriptor()
```

在这之后，指定 HOGDescriptor 作为检测人的默认检测器。

这可通过 setSVMDetector() 方法实现，如果没有介绍过 SVM 的话，这会比较晦涩难懂。

接下来用 detectMultiScale 函数来加载图像。注意，这里与人脸检测算法不一样，不需要在使用目标检测方法之前将原始图像转换为灰度形式。

该检测方法将返回一个与矩形相关的数组，用户可用该数组在图像上绘制形状。但如果这样做，就会发现某些矩形会完全包含在其他矩形中。这说明检测出现了错误。如果矩形被完全包含在另外一个矩形中，可确定该矩形应被丢弃。

这就是为什么要定义 is_inside 函数的原因，以及为什么要遍历检测结果来丢掉不含有检测目标的区域。

如果运行该脚本，就会看到在图像中有一个矩形会将人框住。

7.1.3　创建和训练目标检测器

使用内建函数很容易得到应用的简易原型，非常感谢 OpenCV 的开发者，他们实现了强大的特征提取函数，这使得实现人脸检测或人检测变得很容易。

但是，不管是业余爱好者还是从事计算机视觉的专业人员，只实现人检测和人脸检测还不够。

另外还需要了解如何得到用于人检测器的特征，并且还要能改进这些特征。此外，可能还要搞明白这些概念是否能用于其他类型的目标检测（例如从汽车到哥布林（译者注：传说中的类人生物），这些目标差别很大）。

在企业应用中，可能需要处理非常具体的检测，如车牌、书的封面或其他公司需要检测的对象。

那么，如何构建分类器呢？

答案是：使用 SVM 和词袋（Bag-Of-Word，BOW）技术。

前面介绍了 HOG 和 SVM，下面介绍词袋技术。

1. 词袋

词袋（BOW）的概念最初并不是针对计算机视觉的，但计算机视觉会使用该概念的升级版本。最初词袋的概念源于语言分析和信息检索领域，下面来介绍它的基本定义。

BOW 用来在一系列文档中计算每个词出现的次数，然后，用这些次数构成向量来重新表示文档。比如：

❑ Document 1: I like OpenCV and I like Python

❑ Document 2: I like C++ and Python

❑ Document 3: I don't like artichokes

对这三个文档，可以使用这些值来建立字典（或代码本）：

```
{
    I: 4,
    like: 4,
    OpenCV: 2,
    and: 2,
    Python: 2,
    C++: 1,
    dont: 1,
    artichokes: 1
}
```

该字典一共有八项。使用这八项所构成的向量来重新表示原始文件，每个向量包含字典中的所有单词，向量的每个元素表示文档中每个单词出现的次数。上面那三个文档可用如下向量来表示：

```
[2, 2, 1, 1, 1, 0, 0, 0]
[1, 1, 0, 1, 1, 1, 0, 0]
[1, 1, 0, 0, 0, 0, 1, 1]
```

在实际生活中，这种文档表示形式有许多有效的应用（比如垃圾邮件过滤）。

这些向量可以看成是文档的直方图表示或被当作特征（在前面几章中，特征自图像中提取），这些特征可用来训练分类器。

在介绍完 BOW（或者 bag of visual words（BOVW））的基本概念之后，下面介绍计算机视觉中这些概念的具体含义。

2. 计算机视觉中的 BOW

到目前为止，读者已经熟悉了图像特征的概念，并且已经使用过特征提取方法（如 SIFT 和 SURF）从图像中提取特征，这些特征可跟其他图像的特征进行匹配。

同时也对代码本的概念有所了解，并且理解了支持向量机的作用：给支持向量机提供一组特征，就可以使用复杂算法来分类训练数据，该模型能预测新输入的数据属于哪一类。

BOW 方法的实现步骤如下：

1）取一个样本数据集。

2）对数据集中的每幅图像提取描述符（采用 SIFT、SURF 等方法）。

3）将每一个描述符都添加到 BOW 训练器中。

4）将描述符聚类到 k 簇中（聚类的中心就是视觉单词）。

这个过程需要提供视觉单词（visual word）字典。大数据集能提供丰富的、含有视觉单词的字典。从一定程度而言，单词越多越好！

接下来需要测试一下分类器，并尝试进行检测。这个过程和前面介绍的内容非常类似：给定测试图像，提取特征，然后基于这些特征到最近簇心的距离来实现量化，以形成直方图。

因此需要识别视觉单词并在图像中对其定位。下图是 BOW 过程的可视化表示：

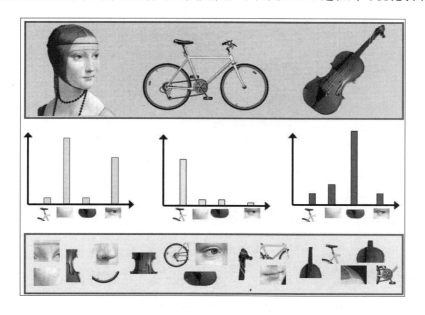

在前面建立起一个可运行的应用，并进一步改进它的功能，就可考虑引入 BoW。但是在这之前，需要先简单介绍 K- 均值聚类，这对充分理解如何创建视觉单词很有帮助，也能更好地理解基于 BOW 和 SVM 的目标检测。

K-means 聚类

K-means 聚类是用于数据分析的向量量化方法。对于给定的数据集，k 表示要分割的数据集中的簇数。术语"means"指的是数学中的均值，这是基本知识，通俗点讲，"means"指的是人们说的平均水平；从可视化表示的角度来看，簇的均值其实是这个簇中点的几何中心。

 注意： Clustering 指的是将数据集的点组合到各个簇中。

BagOfWordsKMeansTrainer 是一种用于执行目标检测的类（class），现在，应该能够知

道创建这个类的目的:

"kmeans() -based class to train a visual vocabulary using the bag-of-words approach"

该表述来自 OpenCV 的帮助文档。

下图为 K-means 聚类操作的结果, 它有五个簇:

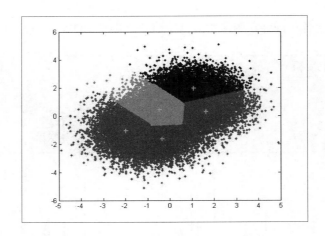

在介绍完这些理论之后, 下面介绍一个训练目标检测器的例子。

7.2 汽车检测

对于图像和视频检测中的目标类型并没有具体限制, 但是, 为了使结果的准确度在可接受范围内, 需要一个足够大的数据集, 包括训练图像的大小要一样。

如果由自己构建这样的数据集 (这是完全可能的) 将会非常耗时。

可利用现成的数据集, 在网上可以免费下载许多这样的数据集:

❑ The University or Illinois: http://l2r.cs.uiuc.edu/~cogcomp/Data/Car/ CarData.tar.gz

❑ Stanford University: http://ai.stanford.edu/~jkrause/cars/car_dataset.html

 注意: 需要注意的是训练图像和测试图像要不同。

下面的例子会使用 UIUC 数据集, 但是这个例子可免费使用其他从网上下载的数据集。

下面就是这个例子的代码:

```
import cv2
import numpy as np
from os.path import join
```

```python
datapath = "/home/d3athmast3r/dev/python/CarData/TrainImages/"
def path(cls,i):
  return "%s/%s%d.pgm"  % (datapath,cls,i+1)


pos, neg = "pos-", "neg-"

detect = cv2.xfeatures2d.SIFT_create()
extract = cv2.xfeatures2d.SIFT_create()

flann_params = dict(algorithm = 1, trees = 5)flann =
  cv2.FlannBasedMatcher(flann_params, {})

bow_kmeans_trainer = cv2.BOWKMeansTrainer(40)
extract_bow = cv2.BOWImgDescriptorExtractor(extract, flann)

def extract_sift(fn):
  im = cv2.imread(fn,0)
  return extract.compute(im, detect.detect(im))[1]

for i in range(8):
  bow_kmeans_trainer.add(extract_sift(path(pos,i)))
  bow_kmeans_trainer.add(extract_sift(path(neg,i)))

voc = bow_kmeans_trainer.cluster()
extract_bow.setVocabulary( voc )

def bow_features(fn):
  im = cv2.imread(fn,0)
  return extract_bow.compute(im, detect.detect(im))

traindata, trainlabels = [],[]
for i in range(20):
  traindata.extend(bow_features(path(pos, i)));
    trainlabels.append(1)
  traindata.extend(bow_features(path(neg, i)));
    trainlabels.append(-1)

svm = cv2.ml.SVM_create()
svm.train(np.array(traindata), cv2.ml.ROW_SAMPLE,
  np.array(trainlabels))

def predict(fn):
  f = bow_features(fn);
  p = svm.predict(f)
  print fn, "\t", p[1][0][0]
  return p

car, notcar = "/home/d3athmast3r/dev/python/study/images/car.jpg",
  "/home/d3athmast3r/dev/python/study/images/bb.jpg"
car_img = cv2.imread(car)
notcar_img = cv2.imread(notcar)
```

```
car_predict = predict(car)
not_car_predict = predict(notcar)

font = cv2.FONT_HERSHEY_SIMPLEX

if (car_predict[1][0][0] == 1.0):
  cv2.putText(car_img,'Car Detected',(10,30), font,
    1,(0,255,0),2,cv2.LINE_AA)

if (not_car_predict[1][0][0] == -1.0):
  cv2.putText(notcar_img,'Car Not Detected',(10,30), font, 1,(0,0,
    255),2,cv2.LINE_AA)

cv2.imshow('BOW + SVM Success', car_img)
cv2.imshow('BOW + SVM Failure', notcar_img)
cv2.waitKey(0)
cv2.destroyAllWindows()
```

7.2.1 代码的功能

这段代码涉及相当多的知识，下面来解释这段代码的具体功能：

1）首先，在导入模块后声明了训练图像的基础路径。定义这样的路径很有用，因为不同计算机上训练数据所在的文件夹不一样，这样做就可避免在每个地方都要修改这个路径。

2）接下来定义一个函数 path：

```
def path(cls,i):
  return "%s/%s%d.pgm"  % (datapath,cls,i+1)

pos, neg = "pos-", "neg-"
```

 注意：关于路径函数的更多知识点

该函数提供了这样的功能：给定一个类名（这个例子有两个类：pos 和 neg）和索引值，该函数会返回测试图像的完整路径。在这个汽车数据集中的图像是按以下方式命名的：pos-x.pgm 和 neg-x.pgm，其中 x 是一个数字。

在通过某个范围的数字（比如 20）进行迭代时，就会发现该函数的用处：加载从 pos-0.pgm 到 pos-20.pgm 的所有图像，这种方式也同样适用于不含有检测目标的图像集（negative class）。

3）接下来，将创建两个 SIFT 实例：一个是提取关键点，另一个是提取特征：

```
detect = cv2.xfeatures2d.SIFT_create()
extract = cv2.xfeatures2d.SIFT_create()
```

4）当看到 SIFT 时，就可断定会涉及一些特征匹配算法。范例接下来会创建基于 FLANN 匹配器的实例：

```
flann_params = dict(algorithm = 1, trees = 5)flann =
  cv2.FlannBasedMatcher(flann_params, {})
```

 注意：在 OpenCV 3 的 Python 版本中，FLANN 没有 enum 值，所以，数字 1 将作为该算法传递的参数，表示要使用 FLANN_INDEX_KDTREE 算法。最终有可能使用算法 cv2.FLANN_INDEX_KDTREE，关于这方面的内容并没有更多帮助。请务必检查正确标志所对应的 enum 值。

5）接下来会创建 BOW 训练器：

```
bow_kmeans_trainer = cv2.BOWKMeansTrainer(40)
```

6）为 BOW 训练器指定的簇数为 40。接下来初始化 BOW 提取器（extractor）。视觉词汇将作为 BOW 类的输入，在测试图像中会检测这些视觉词汇：

```
extract_bow = cv2.BOWImgDescriptorExtractor(extract, flann)
```

7）为了从图像中提取 SIFT 特征，需要通过一个方法来获取图像路径，并以灰度格式读取图像，然后返回描述符：

```
def extract_sift(fn):
  im = cv2.imread(fn,0)
  return extract.compute(im, detect.detect(im))[1]
```

到现在为止，已经为训练 BOW 训练器做好了一切准备。

1）每个类都从数据集中读取八张图像（8 个正样本和 8 个负样本）：

```
for i in range(8):
  bow_kmeans_trainer.add(extract_sift(path(pos,i)))
  bow_kmeans_trainer.add(extract_sift(path(neg,i)))
```

2）要创建视觉单词词汇需调用训练器上的 cluster() 函数，该函数执行 k-means 分类并返回词汇。将为 BOWImgDescriptorExtractor 指定返回的词汇，以便它能从测试图像中提取描述符：

```
vocabulary = bow_kmeans_trainer.cluster()
extract_bow.setVocabulary(vocabulary)
```

3）在此脚本中声明其他功能的函数行，还要声明一个函数，它的参数是一幅图像的路径，并且返回基于 BOW 的描述符提取器计算得到的描述符：

```
def bow_features(fn):
  im = cv2.imread(fn,0)
  return extract_bow.compute(im, detect.detect(im))
```

4）创建两个数组，分别对应训练数据和标签，并用 BOWImgDescriptorExtractor 产生的描述符填充它们，按下面的方法来生成相应的正负样本图像的标签（1 表示正匹配，−1 表示负匹配）：

```
traindata, trainlabels = [],[]
for i in range(20):
  traindata.extend(bow_features(path(pos, i)));
    trainlabels.append(1)
  traindata.extend(bow_features(path(neg, i)));
    trainlabels.append(-1)
```

5）创建一个 SVM 的实例：

```
svm = cv2.ml.SVM_create()
```

6）通过将训练数据和标签放到 NumPy 数组中来进行训练：

```
svm.train(np.array(traindata), cv2.ml.ROW_SAMPLE,
  np.array(trainlabels))
```

所有这些设置都是用于训练好的 SVM，剩下要做的就是给 SVM 一些样本图像，然后来了解它的工作原理。

1）首先再定义一个函数来显示 predict 方法的结果，并返回这些结果：

```
def predict(fn):
  f = bow_features(fn);
  p = svm.predict(f)
  print fn, "\t", p[1][0][0]
  return p
```

2）定义两个样本图像的路径，并将路径中的图像文件读取出来放到 NumPy 数组中：

```
car, notcar =
  "/home/d3athmast3r/dev/python/study/images/car.jpg",
    "/home/d3athmast3r/dev/python/study/images/bb.jpg"
car_img = cv2.imread(car)
notcar_img = cv2.imread(notcar)
```

3）将这些图像传给训练好的 SVM，并获得预测结果：

```
car_predict = predict(car)
not_car_predict = predict(notcar)
```

我们希望在有汽车的图像中都能检测到汽车（predict() 的结果应为 1.0），并且在没有汽车的图像中都检测不到汽车（结果应该是 −1.0），因此，如果结果符合预期，就可以通过文字来说明图像中是否含有汽车。

4）最后，将在屏幕上展现图像，希望能看到每个图像都有正确的文字说明：

```
font = cv2.FONT_HERSHEY_SIMPLEX

if (car_predict[1][0][0] == 1.0):
  cv2.putText(car_img,'Car Detected',(10,30), font,
    1,(0,255,0),2,cv2.LINE_AA)

if (not_car_predict[1][0][0] == -1.0):
  cv2.putText(notcar_img,'Car Not Detected',(10,30), font,
    1,(0,0, 255),2,cv2.LINE_AA)

cv2.imshow('BOW + SVM Success', car_img)
cv2.imshow('BOW + SVM Failure', notcar_img)
cv2.waitKey(0)
cv2.destroyAllWindows()
```

上面的操作会产生如下结果：

也会产生如下结果：

7.2.2 SVM 和滑动窗口

能够完成目标检测已经很不错了，但现在还想增加如下新功能：

❏ 检测图像中同一种物体的多个目标。

❏ 确定检测到的目标在图像中的位置。

要做到这两点，需使用滑动窗口方法。如果对先前介绍的滑动窗口的概念不清楚，看完下图就会更加清楚该方法的理论：

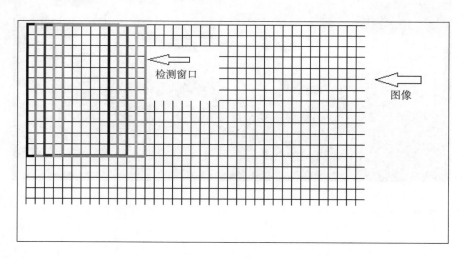

观察块的运动：

1）选择图像区域，对其进行分类，然后向右移动固定大小的一步。当到达图像的最右端时，将 x 坐标设为 0，然后向下移动一步，并重复整个过程。

2）在每步中，使用通过 BOW 训练好的 SVM 进行分类。

3）将所有块传递给 SVM 进行预测，并保持结果。

4）完成整个图像的分类后，缩放图像并重复整个滑动窗口的过程。

继续对图像进行缩放和分类，直到缩放到最小尺寸才停止。

这样做就能够在不同尺度下对图像中多个区域进行目标检测。

在这个阶段，已经收集了图像内容的重要信息。然而，有一个问题：很可能检测是以许多评分为正数的重叠块结束。这意味着图像中可能包含被检测四、五次的对象，如果将这作为检测的结果，那么这个结果相当不准确，此时可采用非最大抑制来解决该问题。

1. 汽车检测的例子

现在可以将所有介绍过的概念都应用到一个汽车检测的实际场景中，该应用可扫描图像，并能用矩形框住检测到的汽车。

该应用的执行过程如下：

1）获取一个训练数据集。

2）创建 BOW 训练器并获得视觉词汇。

3）采用词汇训练 SVM。

4）尝试对测试图像的图像金字塔采用滑动窗口进行检测。

5）对重叠的矩形使用非最大抑制。

6）输出结果。

因为该项目比前面那个只有单个脚本的经典方法要复杂一点，所以下面先看看该项目的结构。

该项目的结构如下：

```
├── car_detector
│   ├── detector.py
│   ├── __init__.py
│   ├── non_maximum.py
│   ├── pyramid.py
│   └── sliding_w112661222.indow.py
└── car_sliding_windows.py
```

主程序为 car_sliding_windows.py，所有的工具都包含在 car_detector 文件夹中。由于使用的是 Python 2.7，因此在文件夹中需要一个检测模块文件 __init__.py。

car_detector 模块中的四个文件如下：

❑ SVM 训练的模型

❑ 非最大抑制函数

❑ 图像金字塔

❑ 滑动窗口函数

下面从图像金字塔开始来逐一介绍这些函数：

```python
import cv2

def resize(img, scaleFactor):
  return cv2.resize(img, (int(img.shape[1] * (1 / scaleFactor)),
    int(img.shape[0] * (1 / scaleFactor))),
      interpolation=cv2.INTER_AREA)

def pyramid(image, scale=1.5, minSize=(200, 80)):
  yield image

  while True:
    image = resize(image, scale)
    if image.shape[0] < minSize[1] or image.shape[1] < minSize[0]:
      break

    yield image
```

该模块包含了两个函数定义：

❑ 通过指定的因子来调整图像的大小。

❑ 建立图像金字塔。返回被调整过大小的图像直到宽度和高度都达到所规定的最小
约束。

 注意： 将会发现图像不通过 return 关键字返回，而是用 yield 关键字返回。这
是因为该函数是一个生成器（generator）。如果读者对生成器不熟悉，请查看
https://wiki.python.org/moin/Generators。这有助于在主程序中获得调整大小后
的图像。

接下来是滑动窗口函数：

```python
def sliding_window(image, stepSize, windowSize):
  for y in xrange(0, image.shape[0], stepSize):
    for x in xrange(0, image.shape[1], stepSize):
      yield (x, y, image[y:y + windowSize[1], x:x +
        windowSize[0]])
```

这也是一个生成器。尽管嵌套有点深，但这种机制还是很简单的：给定一幅图像，返
回一个从左向右滑动的窗口（滑动的步长可以指定），直到覆盖整个图像的宽度，然后回到
左边界，继续下一个步骤，直到覆盖图像的宽度，这样反复进行，直到到达图像的右下角

为止。可以想一下，这和在纸上进行书写的方式相同：从左边开始直到右边，然后移动到下一行的左边又开始写。

最后是非最大抑制的代码，如下所示（Malisiewicz / Rosebrock 的代码）：

```
def non_max_suppression_fast(boxes, overlapThresh):

  # if there are no boxes, return an empty list

  if len(boxes) == 0:

    return []


  # if the bounding boxes integers, convert them to floats --

  # this is important since we'll be doing a bunch of divisions

  if boxes.dtype.kind == "i":

    boxes = boxes.astype("float")


  # initialize the list of picked indexes

  pick = []

  # grab the coordinates of the bounding boxes

  x1 = boxes[:,0]

  y1 = boxes[:,1]

  x2 = boxes[:,2]

  y2 = boxes[:,3]

  scores = boxes[:,4]

  # compute the area of the bounding boxes and sort the bounding

  # boxes by the score/probability of the bounding box

  area = (x2 - x1 + 1) * (y2 - y1 + 1)

  idxs = np.argsort(scores)[::-1]
```

```python
# keep looping while some indexes still remain in the indexes
# list
while len(idxs) > 0:
    # grab the last index in the indexes list and add the
    # index value to the list of picked indexes
    last = len(idxs) - 1
    i = idxs[last]
    pick.append(i)


    # find the largest (x, y) coordinates for the start of
    # the bounding box and the smallest (x, y) coordinates
    # for the end of the bounding box
    xx1 = np.maximum(x1[i], x1[idxs[:last]])
    yy1 = np.maximum(y1[i], y1[idxs[:last]])
    xx2 = np.minimum(x2[i], x2[idxs[:last]])
    yy2 = np.minimum(y2[i], y2[idxs[:last]])


    # compute the width and height of the bounding box
    w = np.maximum(0, xx2 - xx1 + 1)
    h = np.maximum(0, yy2 - yy1 + 1)


    # compute the ratio of overlap
    overlap = (w * h) / area[idxs[:last]]


    # delete all indexes from the index list that have
```

```
    idxs = np.delete(idxs, np.concatenate(([last],

      np.where(overlap > overlapThresh)[0])))


    # return only the bounding boxes that were picked using the

    # integer data type

    return boxes[pick].astype("int")
```

这个函数仅仅得到了一系列的矩形，并对这些矩形按评分进行排序。从评分最高的矩形开始，消除所有重叠超过一定阈值的矩形，消除的规则是计算相交的区域，并看这些相交区域是否大于某一阈值。

（1）查看 detector.py

现在介绍这个应用程序的核心：detector.py。这个文件有点长，也有点复杂，但是若读者熟悉 BOW、SVM 和特征检测 / 提取等概念，一切应该都会变得更清晰。

这个文件包含的代码如下：

```
import cv2
import numpy as np

datapath = "/path/to/CarData/TrainImages/"
SAMPLES = 400

def path(cls,i):
    return "%s/%s%d.pgm"  % (datapath,cls,i+1)

def get_flann_matcher():
  flann_params = dict(algorithm = 1, trees = 5)
  return cv2.FlannBasedMatcher(flann_params, {})

def get_bow_extractor(extract, flann):
  return cv2.BOWImgDescriptorExtractor(extract, flann)

def get_extract_detect():
  return cv2.xfeatures2d.SIFT_create(),
    cv2.xfeatures2d.SIFT_create()

def extract_sift(fn, extractor, detector):
  im = cv2.imread(fn,0)
  return extractor.compute(im, detector.detect(im))[1]

def bow_features(img, extractor_bow, detector):
  return extractor_bow.compute(img, detector.detect(img))
```

```
def car_detector():
  pos, neg = "pos-", "neg-"
  detect, extract = get_extract_detect()
  matcher = get_flann_matcher()
  print "building BOWKMeansTrainer..."
  bow_kmeans_trainer = cv2.BOWKMeansTrainer(1000)
  extract_bow = cv2.BOWImgDescriptorExtractor(extract, flann)

  print "adding features to trainer"
  for i in range(SAMPLES):
  print i
  bow_kmeans_trainer.add(extract_sift(path(pos,i), extract,
    detect))
  bow_kmeans_trainer.add(extract_sift(path(neg,i), extract,
    detect))

voc = bow_kmeans_trainer.cluster()
extract_bow.setVocabulary( voc )

traindata, trainlabels = [],[]
print "adding to train data"
for i in range(SAMPLES):
  print i
  traindata.extend(bow_features(cv2.imread(path(pos, i), 0),
    extract_bow, detect))
  trainlabels.append(1)
  traindata.extend(bow_features(cv2.imread(path(neg, i), 0),
    extract_bow, detect))
  trainlabels.append(-1)

svm = cv2.ml.SVM_create()
svm.setType(cv2.ml.SVM_C_SVC)
svm.setGamma(0.5)
svm.setC(30)
svm.setKernel(cv2.ml.SVM_RBF)

svm.train(np.array(traindata), cv2.ml.ROW_SAMPLE,
  np.array(trainlabels))
return svm, extract_bow
```

下面分析这些代码。首先，导入常用的模块，然后设置训练图像的路径。

接下来定义了一些函数，比如：

```
def path(cls,i):
    return "%s/%s%d.pgm"  % (datapath,cls,i+1)
```

将基本路径和图像类的名称给该函数，就可以返回带路径的图像名。在本例中，图像类的名称为 neg- 和 pos-，这是训练图像名的前缀（比如一幅图像的名称可以为 neg-1.pgm）。最后的参数是一个整数，是图像路径的最后一部分。

下面将定义一个获得 FLANN 匹配器的函数：

```
def get_flann_matcher():
  flann_params = dict(algorithm = 1, trees = 5)
  return cv2.FlannBasedMatcher(flann_params, {})
```

注意，整数 1 不是用来代表 FLANN_INDEX_KDTREE 算法的参数。

接下来的两个函数返回基于 SIFT 的特征检测器/提取器和一个 BOW 训练器：

```
def get_bow_extractor(extract, flann):
  return cv2.BOWImgDescriptorExtractor(extract, flann)

def get_extract_detect():
  return cv2.xfeatures2d.SIFT_create(),
    cv2.xfeatures2d.SIFT_create()
```

下面这个函数会返回图像特征：

```
def extract_sift(fn, extractor, detector):
  im = cv2.imread(fn,0)
  return extractor.compute(im, detector.detect(im))[1]
```

 注意： SIFT 检测器可以检测特征，而基于 SIFT 的提取器可以提取特征并返回它们。

还定义了一个类似的函数来提取 BOW 的特征：

```
def bow_features(img, extractor_bow, detector):
  return extractor_bow.compute(img, detector.detect(img))
```

在 main car_detector 函数中，首先创建用于特征检测和提取所必需的对象：

```
pos, neg = "pos-", "neg-"
detect, extract = get_extract_detect()
matcher = get_flann_matcher()
bow_kmeans_trainer = cv2.BOWKMeansTrainer(1000)
extract_bow = cv2.BOWImgDescriptorExtractor(extract, flann)
```

然后，将向训练器增加训练图像的特征：

```
print "adding features to trainer"
for i in range(SAMPLES):
  print i
  bow_kmeans_trainer.add(extract_sift(path(pos,i), extract,
    detect))
```

对于每一个类，将向训练器和负样本图像添加一个正样本图像。

然后训练器会将数据聚成 k 个类。

聚类后的数据就是视觉单词词汇，可以按以下方式来设置 BOWImgDescriptorExtractor 类的词汇：

```
vocabulary = bow_kmeans_trainer.cluster()
 extract_bow.setVocabulary(vocabulary)
```

（2）训练数据和类的关联

随着视觉词汇的建立，可将训练数据与类进行关联。在本例有两个类：不含有检测目标用 –1 表示，含有检测目标用 1 表示。

下面来填充数组 traindata 和 trainlabels，这两个数组分别含有提取的特征和相应的标签。通过下面的代码来遍历数据集，进而来填充数组：

```
traindata, trainlabels = [], []
  print "adding to train data"
  for i in range(SAMPLES):
    print i
    traindata.extend(bow_features(cv2.imread(path(pos, i), 0),
      extract_bow, detect))
    trainlabels.append(1)
    traindata.extend(bow_features(cv2.imread(path(neg, i), 0),
      extract_bow, detect))
    trainlabels.append(-1)
```

这段代码中的每次循环都会增加一个正样本图像和一个负样本图像，然后将它们的标签分别设为 1 和 –1，以保证标签与样本一致。

如果想训练更多的类，可以按下面的方式来处理：

```
traindata, trainlabels = [], []
print "adding to train data"
for i in range(SAMPLES):        .
  print i
  traindata.extend(bow_features(cv2.imread(path(class1, i), 0),
    extract_bow, detect))
  trainlabels.append(1)
  traindata.extend(bow_features(cv2.imread(path(class2, i), 0),
    extract_bow, detect))
  trainlabels.append(2)
  traindata.extend(bow_features(cv2.imread(path(class3, i), 0),
    extract_bow, detect))
  trainlabels.append(3)
```

例如，可以训练一个检测器用来检测车和行人，并可对包含车和行人的图像同时进行检测。

最后，用下面的代码来训练 SVM：

```
svm = cv2.ml.SVM_create()
svm.setType(cv2.ml.SVM_C_SVC)
svm.setGamma(0.5)
svm.setC(30)
svm.setKernel(cv2.ml.SVM_RBF)

svm.train(np.array(traindata), cv2.ml.ROW_SAMPLE,
  np.array(trainlabels))
return svm, extract_bow
```

需要特别注意下面这两个参数：

❑ C：此参数可以决定分类器的训练误差和预测误差。其值越大，误判的可能性越小，但训练精度会降低。另一方面，值太低可能会导致过拟合，从而使预测精度降低。

❑ Kernel：该参数确定分类器的性质：SVM_LINEAR 说明分类器为线性超平面，这在实际应用中非常适用于二分类（即测试样品属于一类或不属于这一类），而 SVM_RBF（radial basis function）使用高斯函数来对数据进行分类，这意味着，数据被分到由这些函数定义的核（kernel）中。当训练 SVM 来分类超过两个的类时，必须使用 RBF。

最后，将 traindata 和 trainlabels 数组传递给 SVM 的 train 函数，并返回基于 SVM 和 BOW 的提取器对象。这样做可以重复使用词汇，而不必每次都在应用程序中重新创建词汇。

2. 测试汽车检测器

下面来测试汽车检测器！

首先创建一个简单程序来加载图像，然后分别利用滑动窗口和图像金字塔技术进行检测：

```
import cv2
import numpy as np
from car_detector.detector import car_detector, bow_features
from car_detector.pyramid import pyramid
from car_detector.non_maximum import non_max_suppression_fast as
  nms
from car_detector.sliding_window import sliding_window

def in_range(number, test, thresh=0.2):
  return abs(number - test) < thresh

test_image = "/path/to/cars.jpg"

svm, extractor = car_detector()
detect = cv2.xfeatures2d.SIFT_create()

w, h = 100, 40
img = cv2.imread(test_img)

rectangles = []
```

```
counter = 1
scaleFactor = 1.25
scale = 1
font = cv2.FONT_HERSHEY_PLAIN

for resized in pyramid(img, scaleFactor):
  scale = float(img.shape[1]) / float(resized.shape[1])
  for (x, y, roi) in sliding_window(resized, 20, (w, h)):

    if roi.shape[1] != w or roi.shape[0] != h:
      continue

    try:
      bf = bow_features(roi, extractor, detect)
      _, result = svm.predict(bf)
      a, res = svm.predict(bf, flags=cv2.ml.STAT_MODEL_RAW_OUTPUT)
      print "Class: %d, Score: %f" % (result[0][0], res[0][0])
      score = res[0][0]
      if result[0][0] == 1:
        if score < -1.0:
          rx, ry, rx2, ry2 = int(x * scale), int(y * scale),
            int((x+w) * scale), int((y+h) * scale)
          rectangles.append([rx, ry, rx2, ry2, abs(score)])
    except:
      pass

    counter += 1

windows = np.array(rectangles)
boxes = nms(windows, 0.25)


for (x, y, x2, y2, score) in boxes:
  print x, y, x2, y2, score
  cv2.rectangle(img, (int(x),int(y)),(int(x2), int(y2)),(0, 255,
    0), 1)
  cv2.putText(img, "%f" % score, (int(x),int(y)), font, 1, (0,
    255, 0))

cv2.imshow("img", img)
cv2.waitKey(0)
```

这些代码最关键的部分为循环中的金字塔/滑动窗口：

```
bf = bow_features(roi, extractor, detect)
_, result = svm.predict(bf)
a, res = svm.predict(bf, flags=cv2.ml.STAT_MODEL_RAW_OUTPUT)
print "Class: %d, Score: %f" % (result[0][0], res[0][0])
score = res[0][0]
if result[0][0] == 1:
  if score < -1.0:
```

```
rx, ry, rx2, ry2 = int(x * scale), int(y * scale),
  int((x+w) * scale), int((y+h) * scale)
rectangles.append([rx, ry, rx2, ry2, abs(score)])
```

这里，提取兴趣区域（region of interest，ROI）的特征，它与当前滑动窗口相对应，然后将提取的特征传递给 predict 函数。predict 函数有一个可选参数 flags，可以返回预测的评分（结果包含在数组的 [0] [0] 值中）。

 注意：对预测结果的评分解释为分值越低，置信度越高，表示被分到这一类的元素属于该类的可能性越大。

因此给被分类的窗口设置 −1.0 作为阈值，所有小于 −1.0 的窗口都会被视为是一个好的结果。由于使用了支持向量机，因此可以自己调整这个值，直到找到一个保证最佳效果的值为止。

最后，将滑动窗口的计算坐标（即用图像金字塔当前层数的尺度乘以当前坐标，这样可以在最后绘图时能正确表示坐标）添加到矩形数组中。

在绘制最终结果之前，还需要执行最后一个操作：非最大抑制。

把矩形数组转化为 NumPy 数组（这样做是为了使用只有 NumPy 库才有的某些操作），然后应用 NMS：

```
windows = np.array(rectangles)
boxes = nms(windows, 0.25)
```

最后可显示结果，为方便起见，也将窗口的评分打印出来：

这是一个非常准确的结果！

关于支持向量机的最后一点说明：不是每次都要训练检测器，这样做非常浪费时间，可以使用下面的代码来保存训练的结果：

```
svm.save('/path/to/serialized/svmxml')
```

后面要用到这个结果时，可以使用 load 函数来加载，并输入测试图像或帧。

7.3　总结

本章介绍了很多目标检测的概念，如 HOG、BOW、SVM 以及一些有用的技术，如图像金字塔、滑动窗口和非最大抑制。

本章还介绍了机器学习的概念，并探讨了各种用来训练自定义检测器的方法，包括如何创建或获取训练数据集和分类数据。最后，利用这些知识，从最基础的工作开始，创建了汽车检测器，经验证，该检测器可以正常运行。

所有这些概念都为下一章的学习打下了基础。下一章会以视频为基础，利用目标检测和分类技术学习如何跟踪目标，从而获得以商业或应用为目的的信息。

第 8 章 *Chapter 8*

目 标 跟 踪

目标跟踪是对摄像头视频中的移动目标进行定位的过程，它有着广泛的应用，本章将介绍这一主题。实时目标跟踪是许多计算机视觉应用的重要任务，例如监控（surveillance）、基于感知的（perceptual）用户界面、增强现实、基于对象的视频压缩以及辅助驾驶等。

可用多种方式实现目标跟踪，而最优的跟踪技术在很大程度跟具体任务有关。本章将学习如何识别移动目标，并跨帧跟踪这些目标。

8.1　检测移动的目标

为了跟踪视频中的所有目标，首先要完成的任务是识别视频帧中那些可能包含移动目标的区域。

有很多实现视频目标跟踪的方法，这些方法的目的稍微不同。例如，当跟踪所有移动目标时，帧之间的差异会变得有用；当跟踪视频中移动的手时，基于皮肤颜色的均值漂移方法是最好的解决方案；当知道跟踪对象的一方面时，模板匹配会是不错的技术。

目标跟踪技术可能相当复杂，下面按由易到难的顺序进行介绍。

基本的运动检测

一种最直观的方法就是计算帧之间的差异，或考虑"背景"帧与其他帧之间的差异。下面来介绍一个例子：

```
import cv2
import numpy as np

camera = cv2.VideoCapture(0)

es = cv2.getStructuringElement(cv2.MORPH_ELLIPSE, (9,4))
kernel = np.ones((5,5),np.uint8)
background = None

while (True):
  ret, frame = camera.read()
  if background is None:
    background = cv2.cvtColor(frame, cv2.COLOR_BGR2GRAY)
    background = cv2.GaussianBlur(background, (21, 21), 0)
    continue

  gray_frame = cv2.cvtColor(frame, cv2.COLOR_BGR2GRAY)
  gray_frame = cv2.GaussianBlur(gray_frame, (21, 21), 0)

  diff = cv2.absdiff(background, gray_frame)
  diff = cv2.threshold(diff, 25, 255, cv2.THRESH_BINARY)[1]
  diff = cv2.dilate(diff, es, iterations = 2)
  image, cnts, hierarchy = cv2.findContours(diff.copy(),
    cv2.RETR_EXTERNAL, cv2.CHAIN_APPROX_SIMPLE)

  for c in cnts:
    if cv2.contourArea(c) < 1500:
      continue
    (x, y, w, h) = cv2.boundingRect(c)
    cv2.rectangle(frame, (x, y), (x + w, y + h), (0, 255, 0), 2)

  cv2.imshow("contours", frame)
  cv2.imshow("dif", diff)
  if cv2.waitKey(1000 / 12) & 0xff == ord("q"):
      break

cv2.destroyAllWindows()
camera.release()
```

在导入模块之后，打开通过系统默认的摄像头获得的视频图像，并将第一帧设置为整个输入的背景。对于每个从该点以后读取的帧都会计算其与背景之间的差异。这是一个简单的操作：

```
diff = cv2.threshold(diff, 25, 255, cv2.THRESH_BINARY)[1]
```

在开始之前，需要对帧进行预处理。首先要做的就是将帧转换为灰阶，并进行一下模糊处理：

```
gray_frame = cv2.cvtColor(frame, cv2.COLOR_BGR2GRAY)
gray_frame = cv2.GaussianBlur(gray_frame, (21, 21), 0)
```

 注意：*进行模糊处理的原因：每个输入的视频都会因自然震动、光照变化或者摄像头本身等原因而产生噪声。对噪声进行平滑是为了避免在运动和跟踪时将其检测出来。*

在完成对帧的灰度转换和平滑后，就可计算与背景帧的差异（背景帧也需要进行灰度转换和平滑），并得到一个差分图（difference map）。但不止这样处理，还需要应用阈值来得到一幅黑白图像，并通过下面的代码来膨胀（dilate）图像，从而对孔（hole）和缺陷（imperfection）进行归一化处理：

```
diff = cv2.absdiff(background, gray_frame)
diff = cv2.threshold(diff, 25, 255, cv2.THRESH_BINARY)[1]
diff = cv2.dilate(diff, es, iterations = 2)
```

注意，侵蚀和膨胀也可用作噪声滤波器，这和上面采用的模糊技术很像。侵蚀和膨胀可通过调用 cv2.morphologyEx 函数来获得，为了达到透明的目的，这两步都需要。关于这点所有剩下要做的就是在计算出的差分图中找到所有白色斑点的轮廓，并显示这些轮廓。或者对于矩形区域，只显示大于给定阈值的轮廓。所以，一些微小的变化不会显示。当然，这一切最终都由应用需求决定。对于光照不变和噪声低的摄像头，可不设定轮廓最小尺寸的阈值。下面的代码会显示矩形：

```
image, cnts, hierarchy = cv2.findContours(diff.copy(),
    cv2.RETR_EXTERNAL, cv2.CHAIN_APPROX_SIMPLE)
for c in cnts:
    if cv2.contourArea(c) < 1500:
      continue
    (x, y, w, h) = cv2.boundingRect(c)
    cv2.rectangle(frame, (x, y), (x + w, y + h), (255, 255, 0), 2)

cv2.imshow("contours", frame)
cv2.imshow("dif", diff)
```

OpenCV 中提供了两个非常有用的函数：

❑ cv2.findContours：该函数计算一幅图像中目标的轮廓

❑ cv2.boundinRect：该函数计算矩形的边界框

所以，现在拥有了一个基本的运动检测器，该检测器会在目标周围画一个矩形框。

最后会得到如下结果：

对于这个简单的技术，其结果相当准确。但是，也有一些缺点使得这种方法不能满足所有的商业需求。最明显的问题是：该技术需要通过提前设置"默认"帧作为背景。在一些情况下（例如室外），由于光照变化频繁，这种处理方法就显得相当不灵活，所以需要在系统中引入更智能的方法。可以用背景分割器（Background Subtractor）。

8.2 背景分割器：KNN、MOG2 和 GMG

OpenCV 提供了一个称为 BackgroundSubtractor 的类，在分割前景和背景时很方便。

这种工作方式类似于在第 3 章中讲过的 GrabCut 算法，但是，BackgroundSubtractor 是一个功能完全的类，该类不仅执行背景分割，而且能够通过机器学习的方法提高背景检测效果，并提供将分类结果保存到文件的功能。

下面通过一个例子来介绍 BackgroundSubtractor 类：

```
import numpy as np
import cv2

cap = cv2.VideoCapture')

mog = cv2.createBackgroundSubtractorMOG2()

while(1):
    ret, frame = cap.read()
    fgmask = mog.apply(frame)
    cv2.imshow('frame',fgmask)
    if cv2.waitKey(30) & 0xff:
        break
```

```
cap.release()
cv2.destroyAllWindows()
```

下面依次介绍这些代码。首先介绍背景分割器。在 OpenCV 3 中有三种背景分割器：K-Nearest（KNN），Mixture of Gaussians（MOG2），Geometric Multigid（GMG），它们对应的算法用来计算背景分割。

第 5 章介绍过前景检测和背景检测，专门讨论过 GrabCut 和 Watershed，为什么还需要 BackgroundSubtractor 类呢？主要原因是 BackgroundSubtractor 类是专门用于视频分析的，即 BackgroundSubtractor 类会对每帧的环境进行"学习"。例如，可用 GMG 来指定用于初始化视频分析的帧数，默认为 120 帧（普通摄像头大约需要 5 秒）。BackgroundSubtractor 类常用来对不同帧进行比较，并存储以前的帧，可按时间推移方法来提高运动分析的结果。

BackgroundSubtractor 类的另一个基本特征（也是相当惊人的特征）是它可以计算阴影。这对于精确读取视频帧绝对是至关重要的；通过检测阴影，可排除检测图像的阴影区域（采用阈值方式），从而能关注实际特征。这就很少出现"合并"不需要对象的情况。对图像进行对比是个理解这些概念的好方式。下图是一个没有经过阴影检测的背景分割：

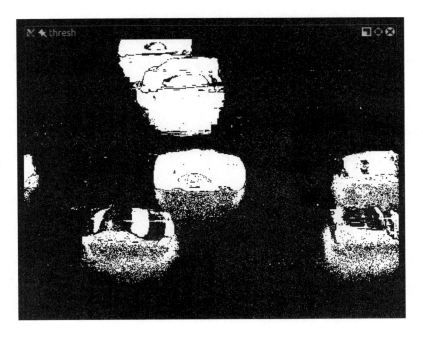

下图为阴影检测的例子（用阴影阈值处理过）：

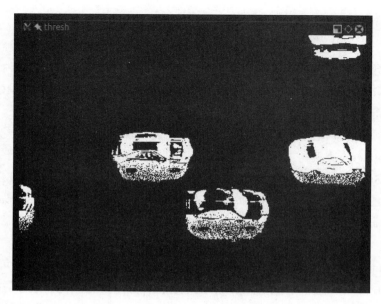

注意阴影检测并非绝对完美，但它有助于将目标轮廓按原始形状进行还原。下面是一个用 BackgroundSubtractorKNN 来实现运动检测的例子：

```python
import cv2
import numpy as np

bs = cv2.createBackgroundSubtractorKNN(detectShadows = True)
camera = cv2.VideoCapture("/path/to/movie.flv")

while True:
  ret, frame = camera.read()
  fgmask = bs.apply(frame)
  th = cv2.threshold(fgmask.copy(), 244, 255,
    cv2.THRESH_BINARY)[1]
  dilated = cv2.dilate(th,
    cv2.getStructuringElement(cv2.MORPH_ELLIPSE, (3,3)),
      iterations = 2)
image, contours, hier = cv2.findContours(dilated,
  cv2.RETR_EXTERNAL, cv2.CHAIN_APPROX_SIMPLE)
for c in contours:
  if cv2.contourArea(c) > 1600:
    (x,y,w,h) = cv2.boundingRect(c)
    cv2.rectangle(frame, (x,y), (x+w, y+h), (255, 255, 0), 2)

cv2.imshow("mog", fgmask)
cv2.imshow("thresh", th)
cv2.imshow("detection", frame)
if cv2.waitKey(30) & 0xff == 27:
    break
```

```
camera.release()
cv2.destroyAllWindows()
```

由于分割器的精确性和阴影检测能力，即使相邻对象没有在一起检测，运动检测的结果也相当精确，如下图所示：

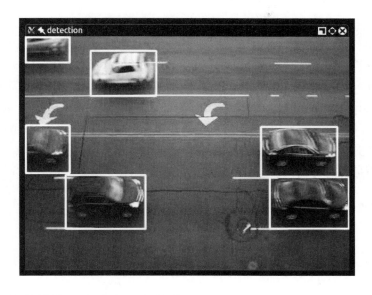

这样令人震惊的结果用了不到 30 行代码！

整个程序的核心是背景分割器的 apply() 函数；该函数计算了前景掩码，这是剩余部分代码的基础：

```
fgmask = bs.apply(frame)
th = cv2.threshold(fgmask.copy(), 244, 255, cv2.THRESH_BINARY)[1]
dilated = cv2.dilate(th,
    cv2.getStructuringElement(cv2.MORPH_ELLIPSE, (3,3)),
        iterations = 2)
image, contours, hier = cv2.findContours(dilated,
    cv2.RETR_EXTERNAL, cv2.CHAIN_APPROX_SIMPLE)
for c in contours:
    if cv2.contourArea(c) > 1600:
        (x,y,w,h) = cv2.boundingRect(c)
        cv2.rectangle(frame, (x,y), (x+w, y+h), (255, 255, 0), 2)
```

一旦获得了前景掩码，就可设定阈值：前景掩码含有前景的白色值以及阴影的灰色值；因此，在阈值化图像中，将非纯白色（244～255）的所有像素都设为 0，而不是 1。

接下来会采用与基本运动检测示例中相同的方法来进行处理：识别目标，检测轮廓，在原始帧上绘制检测结果。

8.2.1 均值漂移和CAMShift

背景分割是一种非常有效的技术，但并不是进行视频中目标跟踪唯一可用的技术。均值漂移（Meanshift）是一种目标跟踪算法，该算法寻找概率函数离散样本的最大密度（例如，感兴趣的图像区域），并且重新计算在下一帧中的最大密度，该算法给出了目标的移动方向。

重复进行该计算，直到与原始中心匹配，或者在连续迭代计算后中心保持不变。这一最后匹配称为收敛。该算法在论文"The estimation of the gradient of a density function, with applications in pattern recognition, Fukunaga K. and Hoestetler L., IEEE, 1975"中首次被提出。可在网站http:// ieeexplore. ieee.org/xpl/login.jsp?tp=&arnumber=1055330&url=http%3A%2F%2Fieeexp lore.ieee.org% 2Fxpls% 2Fabs_all.jsp% 3Farnumber% 3D1055330下载该论文（注意，该论文需要付费下载）。

下图是这个过程的可视化表示：

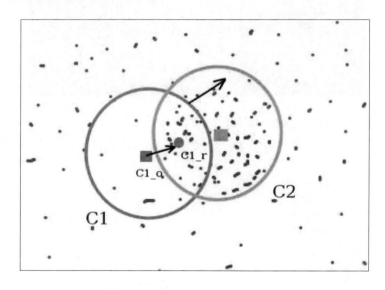

除了理论之外，均值漂移在跟踪视频中感兴趣区域时非常有用，这有许多含义。例如，如果预先不知道所要跟踪的区域，就必须采用这种巧妙的方法，并开发程序来设定条件，使应用能动态地开始跟踪（和停止跟踪）视频的某些区域。例如，可采用训练好的SVM进行目标检测，然后开始使用均值漂移跟踪检测到的目标。

下面先熟悉一下均值漂移，然后在更复杂的场景下使用它。

下面这个例子从简单标记感兴趣区域开始进而跟踪该区域：

```
import numpy as np
import cv2

cap = cv2.VideoCapture(0)
ret,frame = cap.read()
r,h,c,w = 10, 200, 10, 200
track_window = (c,r,w,h)

roi = frame[r:r+h, c:c+w]
hsv_roi =  cv2.cvtColor(frame, cv2.COLOR_BGR2HSV)
mask = cv2.inRange(hsv_roi, np.array((100., 30.,32.)),
    np.array((180.,120.,255.)))

roi_hist = cv2.calcHist([hsv_roi],[0],mask,[180],[0,180])
cv2.normalize(roi_hist,roi_hist,0,255,cv2.NORM_MINMAX)

term_crit = ( cv2.TERM_CRITERIA_EPS | cv2.TERM_CRITERIA_COUNT, 10,
    1 )

while True:
    ret ,frame = cap.read()

    if ret == True:
        hsv = cv2.cvtColor(frame, cv2.COLOR_BGR2HSV)
        dst = cv2.calcBackProject([hsv],[0],roi_hist,[0,180],1)

        # apply meanshift to get the new location
        ret, track_window = cv2.meanShift(dst, track_window,
            term_crit)

        # Draw it on image
        x,y,w,h = track_window
        img2 = cv2.rectangle(frame, (x,y), (x+w,y+h), 255,2)
        cv2.imshow('img2',img2)

        k = cv2.waitKey(60) & 0xff
        if k == 27:
            break

    else:
        break

cv2.destroyAllWindows()
cap.release()
```

在上面的代码中，作者通过 HSV 值来跟踪 lilac 的一些阴影，其结果如下：

如果在计算机上运行这些代码，会观察到均值漂移窗口是怎样搜索指定颜色范围的；如果没有找到，就只能看到窗口抖动（看起来程序有点不耐烦）。如果有指定颜色范围的目标进入窗口，该窗口就会开始跟踪这个目标。

仔细阅读一下代码就能完全理解均值漂移是如何执行这个跟踪操作的。

8.2.2　彩色直方图

在展示前面例子的代码之前，需要注意两个非常重要的 OpenCV 内建函数：calcHist 和 calcBackProject，它们与彩色直方图相关。

calcHist 函数用来计算图像的彩色直方图。所谓的彩色直方图是指图像的颜色分布。它的 x 轴是色彩值，y 轴是相应色彩值的像素数量。

下图为这个概念的可视化表示，希望格言"一张图片胜过千言万语"能适用于这种情况。

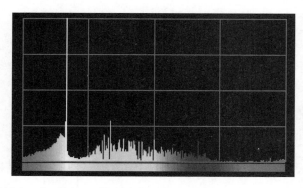

该图为彩色直方图，每列的取值范围在 0 到 180 之间（注意 OpenCV 使用的 H 值在 0 ～ 180 之间，其他系统可能会使用 0 ～ 360 或 0 ～ 255）。

除了均值漂移，彩色直方图被用于多种有用的图像和视频处理操作中。

1. calcHist 函数

OpenCV 的 calcHist() 函数具有以下的 Python 签名 (signature)：

```
calcHist(...)
    calcHist(images, channels, mask, histSize, ranges[, hist[,
        accumulate]]) -> hist
```

参数描述如下（来自 OpenCV 的官方文档）：

参数	参数说明
images	该参数是源数组。它们应该具有相同的深度，如 CV_8U 或 CV_32F，以及相同的尺寸。每个图像都可以有任意数目的通道
channels	该参数是 dims 个通道列表，它们用来计算直方图
mask	该参数是可选的掩码。如果矩阵不是空矩阵，则必须是与 images[i] 大小相同的 8 位数组。非零掩码元素标记直方图中计数过的数组元素
histSize	该参数表示每个维度下直方图数组的大小
ranges	该参数是每一维度下直方图 bin 的上下界的 dims 数组的数组
hist	该参数表示输出直方图，是一个 dims(维度) 维稠密 (或稀疏) 数组
accumulate	该参数是累计标志。如果设置它，那么当分配时，直方图在开始时不清零。这个特征使用户可以计算多个数组集合的单个直方图，或者及时更新直方图

在例子中，用如下代码计算感兴趣区域的直方图：

```
roi_hist = cv2.calcHist([hsv_roi],[0],mask,[180],[0,180])
```

这可以解释为计算图像数组的彩色直方图，该图像数组只包含有 HSV 空间中感兴趣的区域。这里只计算掩码值不为 0 所对应的图像值，有 18 列直方图，每列直方图以 0 为左边界以 180 为右边界。

这个描述起来很复杂，但是，一旦熟悉了直方图的概念，就会豁然开朗。

2. calcBackProject 函数

calcBackProject 函数在均值漂移算法（不仅仅在该算法）中发挥着至关重要的作用，它是 histogram back projection (calculation) 的缩写。之所以叫作直方图反向投影是因为它可得到直方图并将其投影到一幅图像上，其结果是概率，即每个像素属于起初那幅生成直方图的图像的概率。因此，calcBackProject 给出的是一个概率估计：一幅图像等于或类似于模型图像 (model image)（产生原始直方图的图像）的概率。

如果认为 calcHist 有点令人费解，那么 calcBackProject 可能更复杂！

3. 总结

calcHist 函数从图像提取彩色直方图，对图像的颜色进行统计并进行展示，calcBackProject 可用来计算图像的每个像素属于原始图像的概率。

8.2.3 返回代码

现在回到前面的例子中去，首先导入模块，然后标记初始感兴趣的区域：

```
cap = cv2.VideoCapture(0)
ret,frame = cap.read()
r,h,c,w = 10, 200, 10, 200
track_window = (c,r,w,h)
```

然后提取 ROI 并将其转换为 HSV 色彩空间：

```
roi = frame[r:r+h, c:c+w]
hsv_roi = cv2.cvtColor(frame, cv2.COLOR_BGR2HSV)
```

接下来创建一个包含具有 HSV 值的 ROI 所有像素的掩码，HSV 值在上界与下界之间：

```
mask = cv2.inRange(hsv_roi, np.array((100., 30.,32.)),
    np.array((180.,120.,255.)))
```

下面是计算 ROI 的直方图：

```
roi_hist = cv2.calcHist([hsv_roi],[0],mask,[180],[0,180])
cv2.normalize(roi_hist,roi_hist,0,255,cv2.NORM_MINMAX)
```

在计算直方图后，相应的值被归一化到 0 ~ 255 范围内。

均值漂移在达到收敛之前会迭代多次，但不能保证一定收敛。因此，OpenCV 允许指定停止条件，这是一种指定均值漂移终止一系列计算行为的方式：

```
term_crit = ( cv2.TERM_CRITERIA_EPS | cv2.TERM_CRITERIA_COUNT, 10,
    1 )
```

这里的停止条件为：均值漂移迭代 10 次后或者中心移动至少 1 个像素时，均值漂移就停止计算中心移动。第一个标志（EPS 或 CRITERIA_COUNT）表示将使用这两个条件的任意一个（计数或"epsilon"，意味着哪个条件最先达到就停止）。

到目前为止，我们计算了直方图，确定了均值漂移的终止条件，那么就可以设置无限循环来从摄像头中获取当前帧，然后开始处理。首先要切换到 HSV 色彩空间：

```
if ret == True:
        hsv = cv2.cvtColor(frame, cv2.COLOR_BGR2HSV)
```

现在有一个 HSV 数组，可以执行直方图反向投影：

```
dst = cv2.calcBackProject([hsv],[0],roi_hist,[0,180],1)
```

calcBackProject 的结果是一个矩阵。如果打印到控制台上，会有如下形式：

```
[[  0   0   0 ...,   0   0   0]
 [  0   0   0 ...,   0   0   0]
 [  0   0   0 ...,   0   0   0]
 ...,
 [  0   0  20 ...,   0   0   0]
 [ 78  20   0 ...,   0   0   0]
 [255 137  20 ...,   0   0   0]]
```

每个像素以概率的形式表示。

该矩阵最终会传递给 meanShift，它与跟踪窗口和终止条件一起作为 cv2.meanShift 函数的 Python 签名：

```
meanShift(...)
    meanShift(probImage, window, criteria) -> retval, window
```

所以

```
ret, track_window = cv2.meanShift(dst, track_window, term_crit)
```

最后，计算窗口的新坐标，在帧上绘制矩形并显示：

```
x,y,w,h = track_window
img2 = cv2.rectangle(frame, (x,y), (x+w,y+h), 255,2)
cv2.imshow('img2',img2)
```

现在读者应该知道彩色直方图、反向投影和均值漂移了。但是上面的程序仍有一个问题需要解决：窗口大小并不与被跟踪帧中的目标大小一起变化。

作为其中一本计算机视觉领域的权威著作《 Learning OpenCV 》作者 Gary Bradski，由 O'Reilly 出版的作者在 1988 年发表了一篇论文来提高均值漂移的精度，并描述了一种称为连续自适应均值漂移（Continuously Adaptive Meanshift，CAMShift）的新算法，该算法与均值漂移非常相似，但是当均值漂移收敛时会调节跟踪窗口的尺寸。

8.3 CAMShift

虽然 CAMShift 增加了均值漂移的复杂性，但用 CAMShift 实现前面程序的功能与用均值漂移实现在复杂性上差不多，主要区别为：在调用 CAMShift 后，会根据具体的旋转来绘制矩阵，这种旋转会与被跟踪对象一起旋转。

下面是用 CAMShift 重新实现前面那个例子的代码：

```
import numpy as np
import cv2

cap = cv2.VideoCapture(0)

# take first frame of the video
ret,frame = cap.read()

# setup initial location of window
r,h,c,w = 300,200,400,300  # simply hardcoded the values
track_window = (c,r,w,h)


roi = frame[r:r+h, c:c+w]
hsv_roi =  cv2.cvtColor(frame, cv2.COLOR_BGR2HSV)
mask = cv2.inRange(hsv_roi, np.array((100., 30.,32.)),
    np.array((180.,120.,255.)))
roi_hist = cv2.calcHist([hsv_roi],[0],mask,[180],[0,180])
cv2.normalize(roi_hist,roi_hist,0,255,cv2.NORM_MINMAX)
term_crit = ( cv2.TERM_CRITERIA_EPS | cv2.TERM_CRITERIA_COUNT, 10,
    1 )

while(1):
    ret ,frame = cap.read()

    if ret == True:
        hsv = cv2.cvtColor(frame, cv2.COLOR_BGR2HSV)
        dst = cv2.calcBackProject([hsv],[0],roi_hist,[0,180],1)

        ret, track_window = cv2.CamShift(dst, track_window,
            term_crit)
        pts = cv2.boxPoints(ret)
        pts = np.int0(pts)
        img2 = cv2.polylines(frame,[pts],True, 255,2)

        cv2.imshow('img2',img2)
        k = cv2.waitKey(60) & 0xff
        if k == 27:
            break

    else:
        break

cv2.destroyAllWindows()
cap.release()
```

从上面的代码可看出，CAMShift 代码和均值漂移的不同之处在于以下四行：

```
ret, track_window = cv2.CamShift(dst, track_window, term_crit)
pts = cv2.boxPoints(ret)
```

```
pts = np.int0(pts)
img2 = cv2.polylines(frame,[pts],True, 255,2)
```

CamShift 方法的签名与均值漂移的相同。

boxPoints 函数会找到被旋转矩形的顶点，而折线函数会在帧上绘制矩形的线段。

上面介绍了三种目标跟踪方法：基本运动检测、均值漂移和 CAMShift，现在来介绍另一种目标跟踪方法：Kalman（卡尔曼）滤波器。

8.4 卡尔曼滤波器

卡尔曼滤波器是主要由 Rudolf Kalman 在 20 世纪 50 年代末提出的算法，它在许多领域中都得到了应用，特别是各种交通工具（从核潜艇到飞机）的导航系统上经常用到。

卡尔曼滤波器会对含有噪声的输入数据流（比如计算机视觉中的视频输入）进行递归(recursive) 操作，并产生底层系统状态（比如视频中的位置）在统计意义上的最优估计。

下面通过简单的例子来介绍卡尔曼滤波器，并用通俗易懂的文字来描述它的定义。假设在桌上有一个小红球，现场也有摄像头对着这一场景。小球确定为被跟踪的目标，用手指轻弹一下小红球，它会在桌上滚动。如果球在一个特定方向上以每秒 1 米（1 米 / 秒）的速度滚动，则不需要卡尔曼滤波器也可以估计 1 秒后球会在哪里，因为 1 秒后它就在 1 米远处。卡尔曼滤波器利用这些规律来预测目标在当前视频帧中的位置，当前帧会基于上一帧的信息。当然卡尔曼滤波器并不能预测球的运行路线中是否有一支铅笔，但可调整这种不可预见的事件。

8.4.1 预测和更新

根据前面的描述，可将卡尔曼滤波算法分为两个阶段：

❑ 预测：在这个阶段，卡尔曼滤波器使用由当前点计算的协方差来估计目标的新位置。

❑ 更新：在这个阶段，卡尔曼滤波器记录目标的位置，并为下一次循环计算修正协方差。

在 OpenCV 中，调整即为修正，在基于 Python 的 OpenCV 中，KalmanFilter 类的 API 如下：

```
class KalmanFilter(__builtin__.object)
 |  Methods defined here:
 |
 |  __repr__(...)
 |      x.__repr__() <==> repr(x)
 |
```

```
|  correct(...)
|      correct(measurement) -> retval
|
|  predict(...)
|      predict([, control]) -> retval
```

从上面的代码可推测：predict() 函数是用来估算目标位置的，并用 correct() 来修正卡尔曼滤波器的预测结果。

8.4.2 范例

最后，将卡尔曼滤波器和 CAMShift 结合起来，以获得最高的精确度和性能。在学习如此复杂的算法之前，先来分析一个简单的例子，这个例子为鼠标跟踪，在网上经常看到该例，特别是在介绍基于 OpenCV 的卡尔曼滤波器时。

下面的例子中，将绘制一个空帧和两条线：一条线对应于鼠标的实际运动，另一条线对应于卡尔曼滤波器预测的轨迹。具体代码如下：

```
import cv2
import numpy as np

frame = np.zeros((800, 800, 3), np.uint8)
last_measurement = current_measurement = np.array((2,1),
    np.float32)
last_prediction = current_prediction = np.zeros((2,1), np.float32)

def mousemove(event, x, y, s, p):
    global frame, current_measurement, measurements,
        last_measurement, current_prediction, last_prediction
    last_prediction = current_prediction
    last_measurement = current_measurement
    current_measurement =
        np.array([[np.float32(x)],[np.float32(y)]])
    kalman.correct(current_measurement)
    current_prediction = kalman.predict()
    lmx, lmy = last_measurement[0], last_measurement[1]
    cmx, cmy = current_measurement[0], current_measurement[1]
    lpx, lpy = last_prediction[0], last_prediction[1]
    cpx, cpy = current_prediction[0], current_prediction[1]
    cv2.line(frame, (lmx, lmy), (cmx, cmy), (0,100,0))
    cv2.line(frame, (lpx, lpy), (cpx, cpy), (0,0,200))


cv2.namedWindow("kalman_tracker")
cv2.setMouseCallback("kalman_tracker", mousemove)

kalman = cv2.KalmanFilter(4,2)
kalman.measurementMatrix =
```

```
        np.array([[1,0,0,0],[0,1,0,0]],np.float32)
    kalman.transitionMatrix =
        np.array([[1,0,1,0],[0,1,0,1],[0,0,1,0],[0,0,0,1]],np.float32)
    kalman.processNoiseCov =
        np.array([[1,0,0,0],[0,1,0,0],[0,0,1,0],[0,0,0,1]],np.float32)
            * 0.03

    while True:
        cv2.imshow("kalman_tracker", frame)
        if (cv2.waitKey(30) & 0xFF) == 27:
            break

    cv2.destroyAllWindows()
```

下面来一步步分析这段代码。在导入包之后，创建一个大小为 800×800 的空帧，然后初始化测量坐标和鼠标运动预测的数组：

```
frame = np.zeros((800, 800, 3), np.uint8)
last_measurement = current_measurement = np.array((2,1),
    np.float32)
last_prediction = current_prediction = np.zeros((2,1), np.float32)
```

然后定义鼠标移动的回调（Callback）函数，用来绘制跟踪结果。绘制机制很简单：存储上一次的测量和预测，用当前测量来校正卡尔曼滤波器，计算卡尔曼的预测值，最后绘制从上一次测量到当前测量以及从上一次预测到当前预测的两条线。

```
def mousemove(event, x, y, s, p):
    global frame, current_measurement, measurements,
        last_measurement, current_prediction, last_prediction
    last_prediction = current_prediction
    last_measurement = current_measurement
    current_measurement =
        np.array([[np.float32(x)],[np.float32(y)]])
    kalman.correct(current_measurement)
    current_prediction = kalman.predict()
    lmx, lmy = last_measurement[0], last_measurement[1]
    cmx, cmy = current_measurement[0], current_measurement[1]
    lpx, lpy = last_prediction[0], last_prediction[1]
    cpx, cpy = current_prediction[0], current_prediction[1]
    cv2.line(frame, (lmx, lmy), (cmx, cmy), (0,100,0))
    cv2.line(frame, (lpx, lpy), (cpx, cpy), (0,0,200))
```

下一步进行窗口初始化并设置回调函数。OpenCV 采用 setMouseCallback 函数处理鼠标事件；具体事件必须由回调（事件）函数的第一个参数来处理，该参数确定触发事件的类型（点击、移动等）：

```
cv2.namedWindow("kalman_tracker")
cv2.setMouseCallback("kalman_tracker", mousemove)
```

现在已经准备好创建卡尔曼滤波器了：

```
kalman = cv2.KalmanFilter(4,2)
kalman.measurementMatrix =
    np.array([[1,0,0,0],[0,1,0,0]],np.float32)
kalman.transitionMatrix =
    np.array([[1,0,1,0],[0,1,0,1],[0,0,1,0],[0,0,0,1]],np.float32)
kalman.processNoiseCov =
    np.array([[1,0,0,0],[0,1,0,0],[0,0,1,0],[0,0,0,1]],np.float32)
        * 0.03
```

卡尔曼滤波器类的构造函数有如下可选参数（下面的内容来自 OpenCV 文档）：

❑ dynamParams：该参数表示状态的维度

❑ MeasureParams：该参数表示测量的维度

❑ ControlParams：该参数表示控制的维度

❑ vector.type：该参数表示所创建的矩阵类型（可为 CV_32F 或 CV_64F）

前面的参数（包括构造函数和卡尔曼滤波器属性）都可以让程序运行得很好。

从这一点来看，程序很简单：每一个鼠标移动都会触发卡尔曼滤波器进行预测，在不断显示的帧上绘制鼠标的实际位置和卡尔曼滤波器预测的值。如果将鼠标向四周移动，就会发现突然急速转弯，预测线就会有很宽的轨迹，这与鼠标运动的动量一致。下图为这个例子的结果：

8.4.3 一个基于行人跟踪的例子

到目前为止，我们已经介绍了运动检测、目标检测和目标跟踪的概念，现在需要把这些新知识用到真实的生活场景中。下面这个实际例子是跟踪监控视频中的行人。

首先需要一个这方面的视频，如果下载了 OpenCV 的源代码，在视频文件 <opencv_dir> /samples/data/ 768x576.avi 中就可以找到这样的视频。

在有了数据之后就可以构建应用程序了。

1. 应用程序工作流程

该应用程序遵循以下的逻辑：

1）检查第一帧。

2）检查后面输入的帧，从场景的开始通过背景分割器来识别场景中的行人。

3）为每个行人建立 ROI，并利用 Kalman/ CAMShift 来跟踪行人 ID。

4）检查下一帧是否有进入场景的新行人。

对于真正的应用程序，有可能会通过存储行人信息来获得其他信息（例如行人在场景中停留的平均时间以及最可能的路线）。但这些都超出了本应用所讨论的范围。

在实际应用中，需要识别进入场景的新行人，但现在的重点是利用 CAMShift 和 Kalman 滤波器算法来跟踪一开始就出现在视频场景中的目标。

这个应用程序的源代码可在资料库的 chapter8/ surveillance_demo/ 下找到。

2. 函数式编程与面向对象编程

尽管大多数程序员熟悉（或有一定基础）面向对象编程（Object-oriented Programming，OOP），但是现在，作者更喜欢基于函数式编程（Functional Programming，FP) 的解决方案。

有些人可能还不熟悉函数式编程这一术语，函数式编程是一种编程范式（paradigm），许多语言都属于函数式编程，它们将程序当成估算数学函数，允许函数返回函数，允许函数作为另一个函数的参数。函数式编程的优势不仅仅在于它可以做什么，还在于它可以避免什么，或者在于它可避免副作用（side-effect）和状态改变。如果读者对函数式编程的话题感兴趣，可关注一些函数式编程语言（如 Haskell、Clojure 或者 ML）。

 注意：编程术语中副作用是什么？副作用可定义为：函数改变值不会依赖于函数的输入值。Python 与很多其他语言一样，都容易受副作用的影响，例如，JavaScript 允许访问全局变量。（有时只是偶然访问一下全局变量！）

非纯粹的函数式编程语言的另一个主要问题是：根据所涉及变量状态的不同，函数结果将随时间而改变。如果一个函数将对象作为参数（例如依赖于对象内部状态的计算），根据对象状态的变化，该函数将返回不同的结果。这些在编程语言（例如 C 和 C ++）中通常都会发生，因为这些函数有一个或多个参数引用了对象。

为什么要介绍这些内容？因为到目前为止所介绍的大多数概念的实现都会封装成函数，在这种情况下不可能不去访问全局变量，因为这是最简单、最可靠的方法。下面的程序都是基于面向对象编程的。那么，为什么在提倡函数式编程的同时还要使用面向对象编程呢？因为 OpenCV 有一套自己的处理方法，这使得采用纯粹的函数式或面向对象的编程方法变得很难。

比如任何绘图函数（如 cv2.rectangle 和 cv2.circle）会修改传给它的参数。这种做法违反了函数式编程的基本原则：避免副作用和改变状态。

可以使用 Python 来重新定义绘图函数的 API，这是比函数式编程更友好的方式。例如可以像这样重写 cv2.rectangle：

```
def drawRect(frame, topLeft, bottomRight, color, thickness, fill =
    cv2.LINE_AA):
    newframe = frame.copy()
    cv2.rectangle(newframe, topLeft, bottomRight, color,
        thickness, fill)
    return newframe
```

这种方法的计算量很大，因为会执行 copy() 操作，该操作会显式地重新分配帧，具体操作如下所示：

```
frame = camera.read()
frame = drawRect(frame, (0,0), (10,10), (0, 255,0), 1)
```

最后，将重申一个在所有编程论坛经常提到的理念：没有最好的语言或范式，只有最适合手里工作的工具。

下面来介绍监控应用程序的具体实现，该程序能跟踪视频中的运动目标。

8.4.4　Pedestrian 类

创建 Pedestrian（行人）类的主要原因是卡尔曼滤波器的性质。卡尔曼滤波器可以通过历史观测来预测对象的位置，然后根据实际数据来校正预测，但只能对一个对象执行这些操作。

因此，每个被跟踪的对象都需要一个卡尔曼滤波器。

由此，Pedestrian 类会包含卡尔曼滤波器、彩色直方图（计算第一个检测对象的彩色直方图，并用作后续帧的参考）以及感兴趣区域的信息，这些信息会被 CAMShift 算法（track_window 参数）使用。

此外，为了获得一些实时信息，需要存储每个行人的 ID。

下面是 Pedestrian 类:

```
class Pedestrian():
  """Pedestrian class

  each pedestrian is composed of a ROI, an ID and a Kalman filter
  so we create a Pedestrian class to hold the object state
  """
  def __init__(self, id, frame, track_window):
    """init the pedestrian object with track window coordinates"""
    # set up the roi
    self.id = int(id)
    x,y,w,h = track_window
    self.track_window = track_window
    self.roi = cv2.cvtColor(frame[y:y+h, x:x+w],
        cv2.COLOR_BGR2HSV)
    roi_hist = cv2.calcHist([self.roi], [0], None, [16], [0, 180])
    self.roi_hist = cv2.normalize(roi_hist, roi_hist, 0, 255,
        cv2.NORM_MINMAX)

    # set up the kalman
    self.kalman = cv2.KalmanFilter(4,2)
    self.kalman.measurementMatrix =
        np.array([[1,0,0,0],[0,1,0,0]],np.float32)
    self.kalman.transitionMatrix =
        np.array([[1,0,1,0],[0,1,0,1],[0,0,1,0],[0,0,0,1]],
            np.float32)
    self.kalman.processNoiseCov =
        np.array([[1,0,0,0],[0,1,0,0],[0,0,1,0],[0,0,0,1]],
            np.float32) * 0.03
    self.measurement = np.array((2,1), np.float32)
    self.prediction = np.zeros((2,1), np.float32)
    self.term_crit = ( cv2.TERM_CRITERIA_EPS |
        cv2.TERM_CRITERIA_COUNT, 10, 1 )
    self.center = None
    self.update(frame)

  def __del__(self):
    print "Pedestrian %d destroyed" % self.id

  def update(self, frame):
    # print "updating %d " % self.id
    hsv = cv2.cvtColor(frame, cv2.COLOR_BGR2HSV)
    back_project = cv2.calcBackProject([hsv],[0],
        self.roi_hist,[0,180],1)

    if args.get("algorithm") == "c":
      ret, self.track_window = cv2.CamShift(back_project,
          self.track_window, self.term_crit)
      pts = cv2.boxPoints(ret)
      pts = np.int0(pts)
```

```
        self.center = center(pts)
        cv2.polylines(frame,[pts],True, 255,1)

    if not args.get("algorithm") or args.get("algorithm") == "m":
      ret, self.track_window = cv2.meanShift(back_project,
          self.track_window, self.term_crit)
      x,y,w,h = self.track_window
      self.center = center([[x,y],[x+w, y],[x,y+h],[x+w, y+h]])
      cv2.rectangle(frame, (x,y), (x+w, y+h), (255, 255, 0), 1)

    self.kalman.correct(self.center)
    prediction = self.kalman.predict()
    cv2.circle(frame, (int(prediction[0]), int(prediction[1])), 4,
        (0, 255, 0), -1)
    # fake shadow
cv2.putText(frame, "ID: %d -> %s" % (self.id, self.center),
    (11, (self.id + 1) * 25 + 1),
    font, 0.6,
    (0, 0, 0),
    1,
    cv2.LINE_AA)
# actual info
cv2.putText(frame, "ID: %d -> %s" % (self.id, self.center),
    (10, (self.id + 1) * 25),
    font, 0.6,
    (0, 255, 0),
    1,
    cv2.LINE_AA)
```

该程序的核心在于背景分割器对象，它能识别感兴趣的区域和与之相对应的运动目标。

当程序启动时，会提取每个区域，实例化 Pedestrian 类，传递 ID（一个简单的计数器），帧以及跟踪窗口的坐标（因此可以提取感兴趣区域（Region of interest，ROI），进而提取 ROI 的 HSV 直方图）。

构造器函数（在 Python 中为 __init__）或多或少会将前面介绍的概念汇聚在一起：可计算给定 ROI 的直方图，设置卡尔曼滤波器，并将其与对象的属性（self.kalman）关联。

在 update 方法中，传递当前帧并将其转换为 HSV，这样可以计算行人 HSV 直方图的反向投影。

接下来使用 CAMShift 或均值漂移（由传递的参数决定，如果没有传递任何参数，那么默认是均值漂移方法）来跟踪行人的运动，并根据行人的实际位置校正卡尔曼滤波器。

以点的形式来绘制 CAMShift / 均值漂移（包括周围的矩形）和卡尔曼滤波器，因此可以看到卡尔曼滤波器和 CAMShift / 均值漂移一点点接近，除非突然的动作会导致卡尔曼滤波器的重新调整。

最后，在图像的左上角打印行人信息。

8.4.5 主程序

现在获得了 Pedestrian 类中每个对象的所有信息，下面来看看程序的主函数。

首先，加载视频（可能来自网络摄像头），然后初始化背景分割器，设置 20 帧作为影响背景模型的帧：

```
history = 20
bs = cv2.createBackgroundSubtractorKNN(detectShadows = True)
bs.setHistory(history)
```

创建主显示窗口，设置行人字典和 firstFrame 标志，该标志使得背景分割器能利用这些帧来构建历史，因此可以更好地识别运动的对象。为了实现这个功能，还需设立一个帧计数器：

```
cv2.namedWindow("surveillance")
  pedestrians = {}
  firstFrame = True
  frames = 0
```

下面这个循环会一行一行地读取摄像头的帧（或视频帧）：

```
while True:
    print " -------------------- FRAME %d --------------------" %
        frames
    grabbed, frane = camera.read()
    if (grabbed is False):
      print "failed to grab frame."
      break

    ret, frame = camera.read()
```

用 BackgroundSubtractorKNN 来构建背景模型的历史，所以实际上不需要处理前 20 帧，而只是将这些帧传递到分割器：

```
fgmask = bs.apply(frame)
# this is just to let the background subtractor build a bit of
    history
if frames < history:
  frames += 1
  continue
```

采用前面章节介绍的方法处理帧，即通过对前景掩模采用膨胀和腐蚀的方法来识别斑点及周围边框。这些显然是帧中运动的对象：

```
th = cv2.threshold(fgmask.copy(), 127, 255,
    cv2.THRESH_BINARY)[1]
```

```
th = cv2.erode(th,
    cv2.getStructuringElement(cv2.MORPH_ELLIPSE, (3,3)),
        iterations = 2)
dilated = cv2.dilate(th,
    cv2.getStructuringElement(cv2.MORPH_ELLIPSE, (8,3)),
        iterations = 2)
image, contours, hier = cv2.findContours(dilated,
    cv2.RETR_EXTERNAL, cv2.CHAIN_APPROX_SIMPLE)
```

一旦识别了图像轮廓，便只对第一帧中行人的每个轮廓进行实例化（注意，这里对轮廓设置了最小区域，以便能对检测进行降噪）：

```
counter = 0
for c in contours:
  if cv2.contourArea(c) > 500:
    (x,y,w,h) = cv2.boundingRect(c)
    cv2.rectangle(frame, (x,y), (x+w, y+h), (0, 255, 0), 1)
    # only create pedestrians in the first frame, then just
        follow the ones you have
    if firstFrame is True:
      pedestrians[counter] = Pedestrian(counter, frame,
        (x,y,w,h))
    counter += 1
```

然后，对于每个检测到的行人，都执行 update() 函数来传递当前帧，这需要在其原来的色彩空间进行，因为行人对象负责绘制它自己的信息（比如文字、均值漂移 /CAMShift 得到的矩形以及卡尔曼滤波器跟踪的目标）：

```
for i, p in pedestrians.iteritems():
    p.update(frame)
```

将 firstFrame 标志设置为 False，表示不会跟踪更多的行人，而只是跟踪已有的行人：

```
firstFrame = False
frames += 1
```

最后，在显示窗口显示结果。该程序可以通过按 Esc 键退出：

```
    cv2.imshow("surveillance", frame)
    if cv2.waitKey(110) & 0xff == 27:
        break

if __name__ == "__main__":
  main()
```

现在读者已经知道 CAMShift / 均值漂移与卡尔曼滤波器在跟踪运动目标时是如何协同工作的了。一切顺利的话，应该可以得到与下图类似的结果：

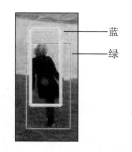

蓝

绿

在这张截图中，蓝色矩形框是 CAMShift 检测的结果，绿色矩形框是卡尔曼滤波器预测的结果，其中心为蓝色圆圈。

进一步改进的方案

这个程序是该应用领域的基础。为了满足应用其他的需求，可以对程序做许多改进。下面是一些可改进的地方：

❑ 如果卡尔曼预测的行人位置在帧之外，就可以删除该行人对象。

❑ 可以检验一下是不是每个检测到的运动目标都与现有的行人实例相对应，如果不是，则为其创建一个实例。

❑ 可以训练 SVM，并对每个运动的目标执行分类操作，以此来确定该运动目标的特性与要跟踪目标的特性是否一致（例如，狗可能进入现场，但应用程序只跟踪人）。

无论读者有什么样的需求，希望本章所提供的知识能满足读者创建相关应用的需求。

8.5 总结

本章探讨了庞大而复杂的视频分析和目标跟踪。

我们了解了具有基本运动检测技术的视频背景分割器，该技术是通过计算帧的差异来实现的，然后介绍了更复杂、更高效的工具（如 BackgroundSubtractor）。

本章还介绍了两个非常重要的视频分析算法：均值漂移和 CAMShift。详细介绍了彩色直方图和反向投影。学习了卡尔曼滤波器以及它在计算机视觉中的用途。在跟踪视频监控中的运动目标时，会用到这些知识。

通过本章的学习，巩固了 OpenCV 和机器学习的基础知识，这为下一章学习人工神经网络和深入学习通过基于 Python 和 OpenCV 来研究人工智能打下了坚实的基础。

Chapter 9 第9章

基于 OpenCV 的神经网络简介

机器学习是人工智能的一个分支，可以通过专门的算法来使机器识别数据的模式和趋势，并成功进行预测和分类。

许多基于 OpneCV 完成高级计算机视觉任务的算法和技术都直接与人工智能和机器学习有关。

本章将介绍 OpenCV 中的机器学习概念（例如人工神经网络），并会简单介绍一些正在不断发展的机器学习知识。

9.1 人工神经网络

首先通过一些逻辑步骤来定义人工神经网络（ANN），而不是通过使用晦涩难懂的专业术语的庞大句子。

首先，ANN 是一个统计模型。那么什么是统计模型？统计模型是一对元素：空间 S（观测数据集）和概率 P，其中 P 是 S 的近似分布（换言之，该分布函数可以产生一组与 S 非常相似的观测结果）。

可以按以下两种方式解释 P：作为对复杂场景的简化，并作为首先生成 S 的函数；或至少有一组观测与 S 非常类似。

因此，ANN 模型来自复杂的现实，简化该模型，并推导出函数，进而以数学的形式（近似）表示现实的统计观测。

理解 ANN 的第二步就是了解 ANN 是如何改进简单统计模型的。

生成该数据集的函数很可能需要大量（未知）的输入该怎么办？

ANN 采取的方法是将任务分派给许多神经元（也称节点或单元），并且每一个神经元都能够“近似”生成输入的函数。数学上的近似是指用一个比较简单的函数去近似一个更复杂的函数，这样就可定义误差（与应用程序域有关）。此外，如果神经元（或单元）能够以一定精度近似非线性函数，该网络通常会认为是神经网络。

神经元与感知器

感知器的概念可以追溯到 20 世纪 50 年代，（简单地说）感知器就是一个接受许多输入并输出一个值的函数。

每个输入都有一个与之相关联的权重，用来表示函数中输入的重要性。Sigmoid 函数会输出一个值：

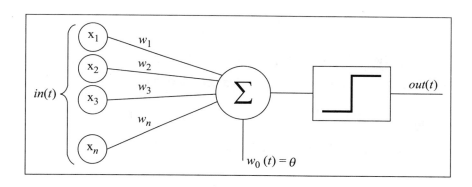

Sigmoid 函数用来指示该函数输出的值为 0 或 1。判断条件是一个阈值，如果输入的权重和大于某一阈值，感知器会输出 1，否则为 0。

这些权重是如何确定的，又代表什么意思呢？

神经元之间彼此连接，每个神经元的权重集（数值参数）定义了与其他神经元连接的强度。权重是“自适应”的，这意味着权重可以根据学习算法及时调整。

9.2 人工神经网络的结构

下图为神经网络的可视化图形：

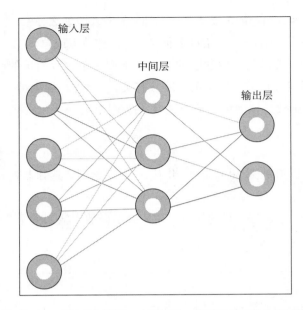

如图所示，神经网络有三个不同的层：输入层、隐藏层（或中间层）和输出层。可以有多个隐藏层，但是，通常一个隐藏层就能够解决现实生活中的大部分问题。

9.2.1 网络层级示例

如何确定网络的拓扑结构呢？每一层应该创建多少个神经元？下面逐层进行介绍。

1. 输入层

输入层定义了网络的输入数目。例如，创建一个人工神经网络，使其能根据给定的动物属性描述来判断是哪种动物。这些属性分别为体重、长度和牙齿。如果是这三个属性，那么网络就需要三个输入节点。

2. 输出层

输出层的数目与定义的类别数相同。比如上面那个用来进行动物分类的网络，若已知要分类的动物为狗、秃鹰、海豚和龙，则可以任意设定输出层的数目为 4。如果输入的动物数据不属于这些类别的范畴，网络将返回与这 4 种动物最相似的类别。

3. 隐藏层

隐藏层包含感知器。如前所述，大多数问题只需要一个隐藏层；从数学的角度讲，没有已知信息表明需要两个以上的隐藏层，因此，这里会使用一个隐藏层。

要确定隐藏层的神经元数，有很多经验性方法，但没有严格的准则。在实际应用中，经常会使用经验方法，即使用不同的设置方法测试网络，并选择最适合的方式。

创建 ANN 最常见的规则如下：

❑ 隐藏层神经元数应该介于输入层的大小与输出层的大小之间。根据经验，如果输入层的大小与输出层的大小相差很大，则隐藏层的神经元数目最好与输出层数更接近。

❑ 对于相对较小的输入层，隐藏层神经元数最好是输入层和输出层大小之和的三分之二，或者小于输入层大小的两倍。

需要注意一个非常重要的现象：过拟合（overfitting）。当待分类训练数据提供的信息没有什么意义，而隐藏层又含有太多信息时就会发生过拟合（例如，隐藏层的神经元数目不成比例）。

对于较大的隐藏层，为了合理训练网络，需要更多的训练信息。当然这就需要更长的训练时间。

所以，由前面提到的经验准则的第二条可知，用于进行动物分类的网络隐藏层会有 8 个神经元，如果这样，神经网络很快就能得到最好的结果。从另一方面说，在人工神经网络领域，经验法是很受推崇的。最好的网络拓扑与网络输入数据数型相关，所以不用抱怨采用反复试验 (trial-and-error) 的方式对人工神经网络进行测试。

总之，前面那个例子的网络大小为：

❑ 输入层：3
❑ 隐藏层：8
❑ 输出层：4

9.2.2　学习算法

人工神经网络可使用多种学习算法，但有三个主要的算法：

❑ 监督学习：这类算法可以从人工神经网络获得一个函数，用来描述标记的数据。根据先验知识可以知道数据的属性，进而由人工神经网络可得到描述这些数据的函数。

❑ 非监督学习：与监督学习不同，这类算法的数据没有标记。这意味着不需要选择和标记数据，但人工神经网络需要做更多工作。这种数据的分类通常由聚类等技术来实现（但这不是唯一的方法），聚类在第 7 章已经介绍过。

❑ 强化学习：强化学习略有点复杂。系统接收输入，决策机制决定决策行为，执行该机制并给出相应的评分（即成功 / 失败以及在之间的得分）。最后，输入和动作要与评分相匹配，系统重复学习或根据一定的输入或状态来改变动作。

现在已经知道什么是 ANN 了，下面介绍如何用 OpenCV 来实现 ANN，以及如何很好地使用 ANN。最后，会充分应用 ANN，尝试实现手写体数字识别。

9.3　OpenCV 中的 ANN

毫无疑问，ANN 在 OpenCV 的 ml 模块中。

为了引出 ANN，先来看一个简单的例子。

```
import cv2
import numpy as np

ann = cv2.ml.ANN_MLP_create()
ann.setLayerSizes(np.array([9, 5, 9], dtype=np.uint8))
ann.setTrainMethod(cv2.ml.ANN_MLP_BACKPROP)

ann.train(np.array([[1.2, 1.3, 1.9, 2.2, 2.3, 2.9, 3.0, 3.2,
  3.3]], dtype=np.float32),
  cv2.ml.ROW_SAMPLE,
  np.array([[0, 0, 0, 0, 0, 1, 0, 0, 0]], dtype=np.float32))

print ann.predict(np.array([[1.4, 1.5, 1.2, 2., 2.5, 2.8, 3., 3.1,
  3.8]], dtype=np.float32))
```

首先，创建 ANN：

```
ann = cv2.ml.ANN_MLP_create()
```

函数名中的 MLP 是 multilayer perceptron 的缩写。下面来看看什么是感知器。

创建完网络之后，需要设置相应的拓扑结构：

```
ann.setLayerSizes(np.array([9, 5, 9], dtype=np.uint8))
ann.setTrainMethod(cv2.ml.ANN_MLP_BACKPROP)
```

setLayerSizes 函数通过 NumPy 数组来定义各层大小。数组的第一个元素为输入层的大小，最后一个元素设置输出层的大小，中间元素定义了隐藏层的大小。

训练采用反向传播方式。有两种设置方式：BACKPROP 和 RPROP。

BACKPROP 和 RPROP 都是反向传播算法。简而言之，这些算法都会根据分类误差来改变权重。

这两种算法可用在有监督学习的场合，这也是本例所采用的算法。下面介绍实现的细节：

```
ann.train(np.array([[1.2, 1.3, 1.9, 2.2, 2.3, 2.9, 3.0, 3.2,
  3.3]], dtype=np.float32),
  cv2.ml.ROW_SAMPLE,
  np.array([[0, 0, 0, 0, 0, 1, 0, 0, 0]], dtype=np.float32))
```

从上面的实现可看出：该方法和支持向量机的 train() 函数极其相似。train 函数包含三个参数：samples、layout 和 responses。只有 samples 是必须设置的参数，另外两个为可选参数。

这里可得出如下结论：

❑ 首先，和 SVM 一样，ANN 是 OpenCV 的 StatModel(statistical model)；train 和 predict 是从 StatModel 类继承的函数。

❑ 第二，只有用 samples 参数训练的统计模块会采用无监督学习算法。如果提供了 layout 和 responses 参数就是有监督学习。

由于使用了 ANN，因此可以设置反向传播算法的类型（BACKPROP 或 RPROP)，这两种方式只有在有监督学习中才可设置。

那么，什么是反向传播呢？反向传播算法包括两个阶段，即 (1) 计算预测误差，并在输入层和输出层两个方向上更新网络；(2) 更新相应神经元的权重。

现在来训练 ANN，由于设置输入层的大小为 9，因此需要提供 9 个输入数据，并且输出层的大小为 9：

```
ann.train(np.array([[1.2, 1.3, 1.9, 2.2, 2.3, 2.9, 3.0, 3.2,
  3.3]], dtype=np.float32),
  cv2.ml.ROW_SAMPLE,
    np.array([[0, 0, 0, 0, 0, 1, 0, 0, 0]], dtype=np.float32))
```

输出数组的元素为 0 或 1，为 1 表示与输入相关联的类别。在前面的例子中，指定输入数组对应的是 0 ~ 8 类中的 5 类。

最后，进行分类：

```
print ann.predict(np.array([[1.4, 1.5, 1.2, 2., 2.5, 2.8, 3., 3.1,
  3.8]], dtype=np.float32))
```

将产生如下结果：

```
(5.0, array([[-0.06419383, -0.13360272, -0.1681568 , -0.18708915,
  0.0970564 ,
  0.89237726,  0.05093023,  0.17537238,  0.13388439]],
    dtype=float32))
```

这意味着输入被分为类 5。这只是一个简单的例子，这种分类其实没有意义，但可以测试网络是否可以正确运行。在这段代码中，只提供一个训练纪录，它的类标签为 5，这个网络会用来判断输入数据的类标签是否为 5。

输出预测信息是一个元组，第一个值是类标签，接下来是一个数组，它表示输入数据属于每个类的概率。预测的类拥有最大的值。下面学习一个稍微复杂的例子：动物分类。

9.3.1 基于 ANN 的动物分类

下面介绍一个很简单的 ANN 例子，它根据统计量（体重、长度、牙齿）对动物进行分类。这样做的目的是：在将 ANN 应用到计算机视觉特别是 OpenCV 之前，需要通过一个现实生活中的场景来提高对 ANN 的认识。

```python
import cv2
import numpy as np
from random import randint

animals_net = cv2.ml.ANN_MLP_create()
animals_net.setTrainMethod(cv2.ml.ANN_MLP_RPROP |
  cv2.ml.ANN_MLP_UPDATE_WEIGHTS)
animals_net.setActivationFunction(cv2.ml.ANN_MLP_SIGMOID_SYM)
animals_net.setLayerSizes(np.array([3, 8, 4]))
animals_net.setTermCriteria(( cv2.TERM_CRITERIA_EPS |
  cv2.TERM_CRITERIA_COUNT, 10, 1 ))

"""Input arrays
weight, length, teeth
"""

"""Output arrays
dog, eagle, dolphin and dragon
"""

def dog_sample():
  return [randint(5, 20), 1, randint(38, 42)]

def dog_class():
  return [1, 0, 0, 0]

def condor_sample():
  return [randint(3,13), 3, 0]

def condor_class():
  return [0, 1, 0, 0]

def dolphin_sample():
  return [randint(30, 190), randint(5, 15), randint(80, 100)]

def dolphin_class():
  return [0, 0, 1, 0]

def dragon_sample():
  return [randint(1200, 1800), randint(15, 40), randint(110, 180)]

def dragon_class():
  return [0, 0, 0, 1]
```

```
SAMPLES = 5000
for x in range(0, SAMPLES):
  print "Samples %d/%d" % (x, SAMPLES)
  animals_net.train(np.array([dog_sample()], dtype=np.float32),
    cv2.ml.ROW_SAMPLE, np.array([dog_class()], dtype=np.float32))
  animals_net.train(np.array([condor_sample()], dtype=np.float32),
    cv2.ml.ROW_SAMPLE, np.array([condor_class()],
      dtype=np.float32))
  animals_net.train(np.array([dolphin_sample()],
    dtype=np.float32), cv2.ml.ROW_SAMPLE,
      np.array([dolphin_class()], dtype=np.float32))
  animals_net.train(np.array([dragon_sample()], dtype=np.float32),
    cv2.ml.ROW_SAMPLE, np.array([dragon_class()],
      dtype=np.float32))

print animals_net.predict(np.array([dog_sample()],
  dtype=np.float32))
print animals_net.predict(np.array([condor_sample()],
  dtype=np.float32))
print animals_net.predict(np.array([dragon_sample()],
  dtype=np.float32))
```

这个例子和前面的示例有一些不同之处，下面依次介绍这些不同的地方。

首先导入模块。然后为了生成一些相对随机的数据，导入 randint 模块。

```
import cv2
import numpy as np
from random import randint
```

然后创建 ANN，设定 train 函数为弹性 (resilient) 反向传播（反向传播的改进版本），激活函数为 sigmoid 函数：

```
animals_net = cv2.ml.ANN_MLP_create()
animals_net.setTrainMethod(cv2.ml.ANN_MLP_RPROP |
  cv2.ml.ANN_MLP_UPDATE_WEIGHTS)
animals_net.setActivationFunction(cv2.ml.ANN_MLP_SIGMOID_SYM)
animals_net.setLayerSizes(np.array([3, 8, 4]))
```

还需指定 ANN 的终止条件，这与前面介绍的 CAMShift 算法的终止条件一样：

```
animals_net.setTermCriteria(( cv2.TERM_CRITERIA_EPS |
  cv2.TERM_CRITERIA_COUNT, 10, 1 ))
```

现在需要一些数据。这里并不需要准确地表示动物，因为这样会要求训练数据具有很多特征。因此，基本上只需要定义四种创建样本的函数和四种分类函数，用来帮助训练网络：

```
"""Input arrays
weight, length, teeth
"""
```

```
"""Output arrays
dog, eagle, dolphin and dragon
"""

def dog_sample():
  return [randint(5, 20), 1, randint(38, 42)]

def dog_class():
  return [1, 0, 0, 0]

def condor_sample():
  return [randint(3,13), 3, 0]

def condor_class():
  return [0, 1, 0, 0]

def dolphin_sample():
  return [randint(30, 190), randint(5, 15), randint(80, 100)]

def dolphin_class():
  return [0, 0, 1, 0]

def dragon_sample():
  return [randint(1200, 1800), randint(15, 40), randint(110, 180)]

def dragon_class():
  return [0, 0, 0, 1]
```

下面创建4类动物数据，每类有5000个样本：

```
SAMPLES = 5000
for x in range(0, SAMPLES):
  print "Samples %d/%d" % (x, SAMPLES)
  animals_net.train(np.array([dog_sample()], dtype=np.float32),
    cv2.ml.ROW_SAMPLE, np.array([dog_class()], dtype=np.float32))
animals_net.train(np.array([condor_sample()], dtype=np.float32),
  cv2.ml.ROW_SAMPLE, np.array([condor_class()], dtype=np.float32))
  animals_net.train(np.array([dolphin_sample()],
    dtype=np.float32), cv2.ml.ROW_SAMPLE,
      np.array([dolphin_class()], dtype=np.float32))
        animals_net.train(np.array([dragon_sample()],
          dtype=np.float32),          cv2.ml.ROW_SAMPLE,
            np.array([dragon_class()], dtype=np.float32))
```

最后，打印结果，代码如下：

```
(1.0, array([[ 1.49817729,  1.60551953, -1.56444871,
  -0.04313202]], dtype=float32))
(1.0, array([[ 1.49817729,  1.60551953, -1.56444871,
  -0.04313202]], dtype=float32))
```

```
(3.0, array([[-1.54576635, -1.68725526,  1.6469276 ,
  2.23223686]], dtype=float32))
```

对这些数据，会得到如下的结果：

❑ 神经网络能对超过三分之二的样本进行正确分类，这并不算完美，但却是一个很好的例子，可以用来说明所有参与创建和训练 ANN 的元素的重要性。输入层的大小对于创建不同类别间的多样性很重要。在这个例子中，只有三个统计特征，并且这些特征还相对有重叠。

❑ 隐藏层的大小需要进行测试。增加神经元的数目可能会使精度提高，但如果不采用大量的训练数据，会导致过拟合。也就是说，若使用过少的记录或输入许多相同的记录，ANN 也不会学到很多东西。

9.3.2　训练周期

另一个 ANN 训练的重要概念就是周期。一个训练周期表示训练数据的一次迭代，在这之后，是对数据进行分类测试。大多数 ANN 会迭代几个周期，一些常见的 ANN 示例 (如对手写的数字分类) 会对数据进行数百次迭代。

作者建议在人工神经网络和迭代次数方面多花费时间，直到训练收敛。所谓收敛，是指增加迭代次数不再提高（至少不会明显提高）结果的准确性。

前面的例子可以按如下方式进行修改：

```
def record(sample, classification):
  return (np.array([sample], dtype=np.float32),
    np.array([classification], dtype=np.float32))

records = []
RECORDS = 5000
for x in range(0, RECORDS):
  records.append(record(dog_sample(), dog_class()))
  records.append(record(condor_sample(), condor_class()))
  records.append(record(dolphin_sample(), dolphin_class()))
  records.append(record(dragon_sample(), dragon_class()))

EPOCHS = 5
for e in range(0, EPOCHS):
  print "Epoch %d:" % e
  for t, c in records:
    animals_net.train(t, cv2.ml.ROW_SAMPLE, c)
```

然后，从 dog 类开始进行测试：

```
dog_results = 0
for x in range(0, 100):
```

```
clas = int(animals_net.predict(np.array([dog_sample()],
  dtype=np.float32))[0])
print "class: %d" % clas
if (clas) == 0:
  dog_results += 1
```

重复所有的类，并输出结果：

```
print "Dog accuracy: %f" % (dog_results)
print "condor accuracy: %f" % (condor_results)
print "dolphin accuracy: %f" % (dolphin_results)
print "dragon accuracy: %f" % (dragon_results)
```

最后得到下面的结果：

```
Dog accuracy: 100.000000%
condor accuracy: 0.000000%
dolphin accuracy: 0.000000%
dragon accuracy: 92.000000%
```

这个例子只使用了无实用价值的数据，并且只考虑了训练数据的大小／训练迭代次数。通过这些结果可以看到 ANN 对哪些类产生了过拟合，因此，提高训练过程中输入的数据质量很重要。

前面所做的工作都是为手写数字识别做准备。

9.4　用人工神经网络进行手写数字识别

机器学习的范围很广，并且大多数领域尚未成熟。人工神经网络是机器学习的一个分支，也是人工智能的一个分支学科。本章主要探索 OpenCV 背景下的人工神经网络的概念，但不会详细介绍人工智能。

下面继续介绍人工神经网络在现实中的应用。

9.4.1　MNIST——手写数字数据库

MNIST 数据库是 Web 上非常流行的 OCR 和手写字符识别的分类器训练资源，可在如下网址下载它：http://yann.lecun.com/exdb/mnist/。

该数据库属于免费资源，通过它可以创建用于识别手写数字的人工神经网络的程序。

9.4.2　定制训练数据

可以创建自己的训练数据，这需要一点点耐心，但很容易实现。收集大量的手写数字并创建含有单个数字的图像，确保所有的图像大小相同，并且都是灰度图像。

在此之后，需创建一个机制来保证训练样本与预期分类同步。

9.4.3　初始参数

下面是神经网络的各个层：

❑ 输入层

❑ 隐藏层

❑ 输出层

1. 输入层

由于采用的是 MNIST 数据库，它里面的每幅图像大小为 28×28 像素，即 784 像素，因此输入层有 784 个输入节点。

2. 隐藏层

隐藏层大小没有固定、快速的准则，通过多次尝试发现，在训练数据量不是太大的情况下，50 至 60 个节点会得到最好的结果。

可以根据数据量的大小来增加隐藏层的大小，但超过一定程度，这种方式并没有优势，并且，还要用几个小时来训练网络（隐藏层神经元越多，网络训练时间越长）。

3. 输出层

输出层的大小为 10（0 ~ 9），因此输出层需要有 10 个节点。

9.4.4　迭代次数

最初会使用 MNIST 提供的整个训练数据集，这些数据包括 60000 个手写图像，其中一半出自美国政府员工，另一半是由高中生写的。这是一个很大的数据集，因此只需要一次迭代就能得到可接受的高检测精度。

现在开始，将由用户反复训练基于同一训练数据的神经网络。建议在训练过程中对精度进行测试，由此来得到达到"峰"值的迭代次数。这样做可以在当前配置下通过网络得到最好的精度测量。

9.4.5　其他参数

使用 sigmoid 激活函数、弹性反馈（Resilient Back Propagation，RPROP），并延长终止条件，将每次计算的迭代次数由 10 次变为 20 次，这可通过设置 cv2.TermCriteria 来完成。

注意：对训练数据和 ANN 库的重要说明

通过 Internet 发现了 Michael Nielsen 写的一篇令人惊奇的文章，网址为 http://neuralnetworksanddeeplearning.com / chap1.html，这篇文章介绍了如何从零基础写 ANN 库，这个库的代码可以在 GitHub 免费获得，网址为 https://github.com/mnielsen/neural-networks-and-deeplearning，这是由 Michael Nielsen 所著的《Neural Networks and Deep Learning》一书的源代码。

在 data 文件夹中会发现一个 pickle 文件，该文件是流行的 Python cPickle 库将数据保存到磁盘上时所产生的，这会让加载、保存 Python 数据变得简单。

该 pickle 文件是 MNIST 数据库的序列化版本，这个文件很有用，并且可以兼容，所以强烈建议使用该文件。建议使用 MNIST 数据集，但对训练数据进行反序列化相当烦琐，数据的反序列化已经超过了本书的范围。

需要注意的第二点是，OpenCV 并不是 Python 唯一能使用人工神经网络的库。在这方面最著名的是 PyBrain，它有一个称为 Lasagna 的库（这个库的作者是意大利人，本人很喜欢这个库），该库有许多定制的算法，比如前面所介绍的 Michael Nielsen 方法。

9.4.6 迷你库

在 OpenCV 中设置 ANN 并不困难，但肯定会发现自己为了得到高精度的分析结果（这是一个难以捉摸的百分比）需要训练无数遍网络。

为了尽可能地自动执行，需要建立一个迷你库，用来封装 ANN 在 OpenCV 中的原始实现，这样会使重新训练神经网络变得容易。

这里是一个封装库的例子：

```
import cv2
import cPickle
import numpy as np
import gzip

def load_data():
  mnist = gzip.open('./data/mnist.pkl.gz', 'rb')
  training_data, classification_data, test_data =
    cPickle.load(mnist)
  mnist.close()
  return (training_data, classification_data, test_data)

def wrap_data():
  tr_d, va_d, te_d = load_data()
  training_inputs = [np.reshape(x, (784, 1)) for x in tr_d[0]]
```

```python
      training_results = [vectorized_result(y) for y in tr_d[1]]
      training_data = zip(training_inputs, training_results)
      validation_inputs = [np.reshape(x, (784, 1)) for x in va_d[0]]
      validation_data = zip(validation_inputs, va_d[1])
      test_inputs = [np.reshape(x, (784, 1)) for x in te_d[0]]
      test_data = zip(test_inputs, te_d[1])
      return (training_data, validation_data, test_data)

def vectorized_result(j):
    e = np.zeros((10, 1))
    e[j] = 1.0
    return e

def create_ANN(hidden = 20):
    ann = cv2.ml.ANN_MLP_create()
    ann.setLayerSizes(np.array([784, hidden, 10]))
    ann.setTrainMethod(cv2.ml.ANN_MLP_RPROP)
    ann.setActivationFunction(cv2.ml.ANN_MLP_SIGMOID_SYM)
    ann.setTermCriteria(( cv2.TERM_CRITERIA_EPS |
      cv2.TERM_CRITERIA_COUNT, 20, 1 ))
    return ann

def train(ann, samples = 10000, epochs = 1):
    tr, val, test = wrap_data()


    for x in xrange(epochs):
      counter = 0
      for img in tr:

        if (counter > samples):
          break
        if (counter % 1000 == 0):
          print "Epoch %d: Trained %d/%d" % (x, counter, samples)
        counter += 1
        data, digit = img
        ann.train(np.array([data.ravel()], dtype=np.float32),
          cv2.ml.ROW_SAMPLE, np.array([digit.ravel()],
            dtype=np.float32))
      print "Epoch %d complete" % x
    return ann, test

def test(ann, test_data):
    sample = np.array(test_data[0][0].ravel(),
      dtype=np.float32).reshape(28, 28)
    cv2.imshow("sample", sample)
    cv2.waitKey()
    print ann.predict(np.array([test_data[0][0].ravel()],
      dtype=np.float32))

def predict(ann, sample):
```

```
resized = sample.copy()
rows, cols = resized.shape
if (rows != 28 or cols != 28) and rows * cols > 0:
  resized = cv2.resize(resized, (28, 28), interpolation =
    cv2.INTER_CUBIC)
return ann.predict(np.array([resized.ravel()],
  dtype=np.float32))
```

下面来介绍这些代码。首先，load_data、wrap_data 和 vectorized_result 函数都包含在 Michael Nielsen 用于加载 pickle 文件的代码中。

这是一个加载 pickle 文件的相对直接的方式。注意：加载的数据已经被分为 train 和 test 两部分。train 和 test 数据都含有两类数据：数据本身和类标签。因此可以使用 train 数据来训练 ANN，用 test 数据来评估 ANN 的准确性。

vectorized_result 函数是一个非常有效的函数（给出类标签），创建包含 10 个元素的零数组，在期望结果的位置上设置 1。这个数组会被用作输出层的类标签。

第一个与 ANN 相关的函数是 create_ANN：

```
def create_ANN(hidden = 20):
  ann = cv2.ml.ANN_MLP_create()
  ann.setLayerSizes(np.array([784, hidden, 10]))
  ann.setTrainMethod(cv2.ml.ANN_MLP_RPROP)
  ann.setActivationFunction(cv2.ml.ANN_MLP_SIGMOID_SYM)
  ann.setTermCriteria(( cv2.TERM_CRITERIA_EPS |
    cv2.TERM_CRITERIA_COUNT, 20, 1 ))
  return ann
```

该函数基于 MNIST 创建一个用于手写数字识别的 ANN，通过在 9.4.3 节所述的方式来设定每层的大小。

下面是训练函数的实现：

```
def train(ann, samples = 10000, epochs = 1):
  tr, val, test = wrap_data()

  for x in xrange(epochs):
    counter = 0
    for img in tr:

      if (counter > samples):
        break
      if (counter % 1000 == 0):
        print "Epoch %d: Trained %d/%d" % (x, counter, samples)
      counter += 1
      data, digit = img
      ann.train(np.array([data.ravel()], dtype=np.float32),
```

```
            cv2.ml.ROW_SAMPLE, np.array([digit.ravel()],
                dtype=np.float32))
        print "Epoch %d complete" % x
    return ann, test
```

这些代码很简单：给定一定数量的样本和训练周期，加载数据，然后迭代某个设定的次数。

该函数的重要部分是：将单独的训练记录分解成train数据和相应的类标签，然后传递到ANN。

要做到这一点，需要利用numpy数组的ravel()函数，该函数可以获得任意形状的数组，并将其"拉平"为单行数组。例如考虑下面的数组：

```
data = [[ 1, 2, 3], [4, 5, 6], [7, 8, 9]]
```

将这个数组进行"raveled"，就会成为下面的数组：

```
[1, 2, 3, 4, 5, 6, 7, 8, 9]
```

这是OpenCV中的ANN所期望的数据格式，即train()函数就要这样的格式。

最后，返回network和test这两组数据。可以只返回network数据，但是若有test数据，则对检查准确性非常有用。

最后要实现predict()函数，并用其封装ANN的predict()函数：

```
def predict(ann, sample):
    resized = sample.copy()
    rows, cols = resized.shape
    if (rows != 28 or cols != 28) and rows * cols > 0:
        resized = cv2.resize(resized, (28, 28), interpolation =
            cv2.INTER_CUBIC)
    return ann.predict(np.array([resized.ravel()],
        dtype=np.float32))
```

该函数会用到ANN和样本图像，用来保证数据形状与预期相符，如果不相符，则重新调整，使之能与预期相符，这样可以实现最小的"清理"（sanitization），然后可以使其成功预测。

所创建的文件还包含一个test函数，用来检验神经网络的工作，并显示用于分类的样本。

9.4.7　主文件

有很多将要用到的技术都来自前面的章节，因此，从某种程度而言，本章是对整本书的内容进行综合应用。

先来看看文件，为了更好地理解，将该文件分解成几部分：

```python
import cv2
import numpy as np
import digits_ann as ANN

def inside(r1, r2):
  x1,y1,w1,h1 = r1
  x2,y2,w2,h2 = r2
  if (x1 > x2) and (y1 > y2) and (x1+w1 < x2+w2) and (y1+h1 < y2 +
    h2):
    return True
  else:
    return False

def wrap_digit(rect):
  x, y, w, h = rect
  padding = 5
  hcenter = x + w/2
  vcenter = y + h/2
  if (h > w):
    w = h
    x = hcenter - (w/2)
  else:
    h = w
    y = vcenter - (h/2)
  return (x-padding, y-padding, w+padding, h+padding)

ann, test_data = ANN.train(ANN.create_ANN(56), 20000)
font = cv2.FONT_HERSHEY_SIMPLEX

path = "./images/numbers.jpg"
img = cv2.imread(path, cv2.IMREAD_UNCHANGED)
bw = cv2.cvtColor(img, cv2.COLOR_BGR2GRAY)
bw = cv2.GaussianBlur(bw, (7,7), 0)
ret, thbw = cv2.threshold(bw, 127, 255, cv2.THRESH_BINARY_INV)
thbw = cv2.erode(thbw, np.ones((2,2), np.uint8), iterations = 2)
image, cntrs, hier = cv2.findContours(thbw.copy(), cv2.RETR_TREE,
  cv2.CHAIN_APPROX_SIMPLE)

rectangles = []

for c in cntrs:
  r = x,y,w,h = cv2.boundingRect(c)
  a = cv2.contourArea(c)
  b = (img.shape[0]-3) * (img.shape[1] - 3)

  is_inside = False
  for q in rectangles:
    if inside(r, q):
```

```
      is_inside = True
      break
  if not is_inside:
    if not a == b:
      rectangles.append(r)

for r in rectangles:
  x,y,w,h = wrap_digit(r)
  cv2.rectangle(img, (x,y), (x+w, y+h), (0, 255, 0), 2)
  roi = thbw[y:y+h, x:x+w]

  try:
    digit_class = int(ANN.predict(ann, roi.copy())[0])
  except:
    continue
  cv2.putText(img, "%d" % digit_class, (x, y-1), font, 1, (0, 255,
    0))

cv2.imshow("thbw", thbw)
cv2.imshow("contours", img)
cv2.imwrite("sample.jpg", img)
cv2.waitKey()
```

完成常规的模块加载后，通过 digits_ann.py 导入所创建的迷你库。

在文件开始的地方定义函数是很实用的做法，下面介绍所定义的函数。inside() 函数用来确定矩形是否完全包含在另一个矩形中：

```
def inside(r1, r2):
  x1,y1,w1,h1 = r1
  x2,y2,w2,h2 = r2
  if (x1 > x2) and (y1 > y2) and (x1+w1 < x2+w2) and (y1+h1 < y2 +
    h2):
    return True
  else:
    return False
```

wrap_digit() 函数获取数字周围的矩形，并将其转换为正方形，在数字上对其中心化，有 5 个点的空隙来保证数字完全包含在正方形中：

```
def wrap_digit(rect):
  x, y, w, h = rect
  padding = 5
  hcenter = x + w/2
  vcenter = y + h/2
  if (h > w):
    w = h
    x = hcenter - (w/2)
  else:
    h = w
```

```
    y = vcenter - (h/2)
  return (x-padding, y-padding, w+padding, h+padding)
```

该函数的重要性稍后将变得更加清楚。

现在来创建神经网络。该神经网络的隐藏层有 58 个节点，要训练 20 000 个样本：

```
ann, test_data = ANN.train(ANN.create_ANN(58), 20000)
```

这样做可以在首次测试时，将训练时间降低到一两分钟（这取决于机器的处理能力）。理想情况是使用完整的训练数据集（50 000），并迭代多次，直到收敛（比如达到前面讨论的准确性"峰"值）。通过调用下面的函数可以实现：

```
ann, test_data = ANN.train(ANN.create_ANN(100), 50000, 30)
```

现在，可以准备用于测试的数据。为此，需要加载图像，并稍做平滑：

```
path = "./images/numbers.jpg"
img = cv2.imread(path, cv2.IMREAD_UNCHANGED)
bw = cv2.cvtColor(img, cv2.COLOR_BGR2GRAY)
bw = cv2.GaussianBlur(bw, (7,7), 0)
```

现在已经有了一个平滑的灰度图像，可以使用阈值和形态学操作方法来确保数字能从背景中正确区分出来，并且对数字不规整的地方进行处理，这可能会导致预测操作失败：

```
ret, thbw = cv2.threshold(bw, 127, 255, cv2.THRESH_BINARY_INV)
thbw = cv2.erode(thbw, np.ones((2,2), np.uint8), iterations = 2)
```

 注意：阈值标志是一个逆二进制阈值 (inverse binary threshold)：MNIST 数据库的样本形式是黑色背景，数字为白色（而不是白色背景黑色数字），因此，示例中把图像变成了黑色的背景，数字为白色。

在进行形态学操作后，需要识别并分开每个图像中的数字。要做到这一点，首先要识别图像中的轮廓：

```
image, cntrs, hier = cv2.findContours(thbw.copy(), cv2.RETR_TREE,
  cv2.CHAIN_APPROX_SIMPLE)
```

然后通过轮廓来迭代，并放弃所有完全包含在其他矩形中的矩形，只添加不包含在其他矩形中和不超过图像宽度的好的矩形。在某些测试中，findContours 将整个图像作为轮廓本身，这意味着没有其他矩形传递到 inside 测试中：

```
rectangles = []

for c in cntrs:
```

```
r = x,y,w,h = cv2.boundingRect(c)
a = cv2.contourArea(c)
b = (img.shape[0]-3) * (img.shape[1] - 3)

is_inside = False
for q in rectangles:
  if inside(r, q):
    is_inside = True
    break
if not is_inside:
  if not a == b:
    rectangles.append(r)
```

现在得到了一系列好的矩形，可以对其进行迭代，并对每个已经识别的矩形定义感兴趣区域：

```
for r in rectangles:
  x,y,w,h = wrap_digit(r)
```

这就是最初所定义的 wrap_digit() 函数的工作原理：向预测器函数传递正方形感兴趣区域；如果简单地调整矩形大小使其变成正方形，就会让测试数据失败。

可能会觉得奇怪，为什么会考虑数字 1。数字 1 周围的矩形是很窄的，特别是如果 1 的两侧没有进行太多描绘的时候。如果只是简单地将其调整成正方形，将其按一种方式"拉平"，则整个正方形都会变黑，导致不能预测。相反，应该在识别的数字周围创建一个正方形，这可用 wrap_digit() 实现。

这是一种快速的方法；该方法可以在数字周围画出正方形，并同时将该正方形作为预测的感兴趣区域。更有效的方法是使用原来的矩形，并在 numpy 数组中使其"居中"，数组的行和列应该与原矩形的行列中较大的一个相等。这样做是因为某些正方形可能会包含相邻数字的微小位 (tiny bit)，这会让预测失败。对于 np.zeros() 函数创建的正方形不会有噪声：

```
cv2.rectangle(img, (x,y), (x+w, y+h), (0, 255, 0), 2)
roi = thbw[y:y+h, x:x+w]

try:
  digit_class = int(ANN.predict(ann, roi.copy())[0])
except:
  continue
cv2.putText(img, "%d" % digit_class, (x, y-1), font, 1, (0, 255,
  0))
```

一旦完成正方形区域的预测，就将其画在原始图像上：

```
cv2.imshow("thbw", thbw)
```

```
cv2.imshow("contours", img)
cv2.imwrite("sample.jpg", img)
cv2.waitKey()
```

最后的结果会是这样：

9.5　可能的改进和潜在的应用

前面介绍了如何构建人工神经网络，输入训练数据，并将其用于分类。但是对于不同的应用以及那些在新领域中的潜在应用，还有许多可以改进的地方。

9.5.1　改进

有许多针对 ANN 方法的改进措施，分别是：

❑ 扩大数据集，并进行多次迭代，直到获得最好的性能。

❑ 尝试采用不同的激活函数（cv2.ml.ANN_MLP_SIGMOID_SYM 不是唯一的激活函数，还有 cv2.ml.ANN_MLP_IDENTITY 和 cv2.ml.ANNMLP_GAUSSIAN）。

❑ 利用不同的训练标志（cv2.ml.ANN_MLP_UPDATE_WEIGHTS，cv2.ml.ANN_MLP_NO_INPUT_SCALE，cv2.ml.ANN_MLP_NO_OUTPUT_SCALE）和训练方法（反向传播或弹性反向传播）。

除此之外，牢记软件开发的经验：没有最好的技术，只有最适合手头工作的工具。所以，认真分析应用需求有助于选择最佳的参数。例如，并不是所有人都按同样的方式来写这些数字。事实上，不同国家绘制数字的方式也稍有不同。

MNIST 数据库是在美国收集的，其中数字 7 绘制的像字符 7。但是，在欧洲，手写的数字 7 会在对角线中间位置加上一条很短的水平线，这样做是为了和数字 1 区分。

 　注意：关于更多不同国家手写字的详细介绍，可查看相关的维基百科，以下网站有不错的介绍：https://en.wikipedia.org/wiki/ Regional_handwriting_variation。

也就是说，当使用欧洲的手写字时，采用 MNIST 数据库训练的分类模型来识别欧洲的手写数字，有些数字的准确度会降低；某些数字会有更准确的分类。因此，最后可能需要创建自己的数据集。几乎在所有的情况下，最好使用相关并且属于当前应用领域的训练数据。

最后请记住，若神经网络得到满意的准确度，就将其保存，以后在第三方应用中可直接加载使用，这样就不必每次都训练ANN。

9.5.2 应用

上面的程序仅仅是手写识别应用的基础。直接而言，可以很快将这些方法扩展到早期的视频和实时手写数字检测，或者训练ANN为成熟的OCR系统识别整个字母表。

手写识别可以很容易扩展到车牌检测中，这应该是一个很容易的领域，因为车牌使用的字符是一样的。

另外，个人或商业用途可以尝试采用ANN和SVM（如使用SIFT这样的特征检测器）来建立分类器，然后看看检测效果。

9.6 总结

本章介绍了人工神经网络的基本原理，重点采用OpenCV实现的ANN。让读者了解ANN的结构，以及如何基于应用需求来设计神经网络的拓扑结构。

最后，利用大量章节介绍的概念建立了一个手写数字识别应用。

希望大家喜欢这次基于OpenCV 3的Python之旅。尽管需要一系列的书籍才能涵盖整个OpenCV 3，但本书探讨了一些迷人且有前瞻性的概念，希望大家保持联系，让作者以及OpenCV社区知道您下一个具有突破性意义的计算机视觉项目！

推 荐 阅 读

Python入门经典：以解决计算问题为导向的Python编程实践

作者：（美）William F. Punch 等 ISBN：978-7-111-39413-6 定价：79.00元

编写高质量代码：改善Python程序的91个建议

作者：张颖 等 ISBN：978-7-111-46704-5 定价：59.00元

Python编程实战：运用设计模式、并发和程序库创建高质量程序

作者：（美）Mark Summerfield ISBN：978-7-111-47394-7 定价：69.00元

树莓派Python编程指南

作者：（美）Alex Bradbury 等 ISBN：978-7-111-48986-3 定价：59.00元

Python学习手册（原书第4版）

作者：（美）Mark Lutz ISBN：978-7-111-32653-3 定价：119.00元

推荐阅读

推荐阅读

深入理解OpenCV：实用计算机视觉项目解析

作者：Daniel Lélis Baggio 等　书号：978-7-111-47818-8　定价：59.00元

OpenCV的主要开发者和OpenCV社区的主要贡献者携手，
深入解析OpenCV技术在计算机视觉项目中的应用，Amazon广泛好评

通过典型计算机视觉项目，系统讲解使用OpenCV技术构建计算机视觉相关应用的
各种技术细节、方法和最佳实践，并提供全部实现源码，
为读者快速实践OpenCV技术提供翔实指导